CW00557822

HSK 汉英

分频词汇

Frequency-based HSK Vocabulary

编制：曼达瑞语言学校

主编：杨　莹

编者：吴晓华　刘钰涵　姚　萍　杨　晗

华语教学出版社
SINOLINGUA

First Edition   2016

Second Printing   2016

ISBN 978-7-5138-1008-1

Copyright 2016 by Sinolingua Co., Ltd

Published by Sinolingua Co., Ltd

24 Baiwanzhuang Road, Beijing 100037, China

Tel: (86) 10-68320585   68997826

Fax: (86) 10-68997826   68326333

http://www.sinolingua.com.cn

E-mail: hyjx@sinolingua.com.cn

Facebook: www.facebook.com/sinolingua

Printed by Beijing Jinghua Hucais Printing Co., Ltd

Printed in the People's Republic of China

前言

为了帮助考生顺利通过新汉语水平考试（HSK），提高汉语词汇水平，我们根据《新汉语水平考试大纲》和历次新汉语水平考试真题，有针对性地策划了"HSK分频词汇"系列图书。

"HSK分频词汇"系列包含1-3级、4级、5级和6级四册，每册均有汉英、汉法、汉西、汉俄、汉阿、汉日、汉韩、汉泰8个语种版本。本系列以历次新汉语水平考试真题词汇出现频率为依据，共收录全部大纲词汇5000个。这些词汇通过电脑分频准确地统计出出现次数，并按照其出现的高低频次进行编排，便于考生确定科学合理的记忆顺序，从而快捷高效地掌握核心词汇。作为一套考试词汇用书，本系列图书具有以下几个方面的特点：

1. 电脑科学分频，记忆顺序合理。本系书打破了按字母顺序罗列大纲词汇的传统做法，采用历次真题单词出现的频率作为统计依据，对历次真题中出现的词汇进行精确统计和分析，按照词频高低进行排列，为考生在记忆词汇过程中时间上的分配和记忆顺序提供了科学依据。

2. 汉字、拼音、词性、释义布局合理。本系列图书对每条词汇下的各项内容进行精心布局，更符合学生记忆、背诵需要，无需借用外物遮挡释义记忆中文词汇，遮挡拼音记忆汉字。

3. 例句贴近真题，科学、实用。每个词汇有1-2个例句，均贴近真题语言，可以帮助考生适应真题，了解真题考点，将词汇的记忆与考试科学地结合起来。

值得一提的是，超高频和高频词汇固然重要，但还有很多真题中仍未出现的"零频"大纲词汇需要考生注意，将来的试题很可能会特殊"关照"一下这类词汇。

本系列图书对于多音字词和同形字词，均按照其在新汉语水平考试大纲中的编排设计，考生不必为这些特殊词汇烦恼。

最后，祝愿所有考生能够借助本系列图书科学地记忆汉语词汇，顺利通过新汉语水平考试！

全球 HSK 策划大队

Preface

To help students enhance their Chinese vocabulary and pass the HSK test, we have planned and compiled the series "Frequency-based HSK Vocabulary" according to the *Chinese Proficiency Test Syllabus* as well as the test papers of the HSK examinations over the past years.

The series consists of four volumes, namely, Level 1-3, Level 4, Level 5 and Level 6. Each volume includes eight language versions: Chinese-English, Chinese-French, Chinese-Spanish, Chinese-Russian, Chinese-Arabic, Chinese-Japanese, Chinese-Korean and Chinese-Thai. The series includes all 5000 words and expressions required by the test syllabus based on their frequency of appearance in HSK examinations. With the assistance of computers, the words' exact number of appearances are counted according to which they are sequenced in the books. This will make it easier for the students to pick up the key words and expressions and study them in a more methodical and effective way. The series, as a set of vocabulary books tailored for the HSK examinations, has the following features:

● It breaks the traditional way of listing the syllabus vocabulary in alphabetical order by giving an accurate count and analysis to the words and expressions that have appeared in past HSK tests and sequencing them based on their frequency of appearance, in order to provide a methodical basis for students to allocate their time and highlight the emphases when it comes to mastering these vocabulary words.

● It provides a reasonable layout for Chinese characters, pinyin, part-of-speech and English explanations. These items under each vocabulary entry are meticulously designed so as to make it more convenient for students to memorize the new word; they don't need to use any objects to cover the English explanations while trying to memorize the vocabulary, nor do they have to cover the pinyin as they learn the Chinese characters.

● Practical sample sentences following closely the structure of those in real tests are provided. Each entry is accompanied by one or two sample sentences which are quite similar in language style to those in HSK examinations. Hence the students can easily adapt to the real test and obtain a deeper understanding of the key test points. In this sense, vocabulary memorization will directly yield good examination result.

It's worthy to mention that the "super-high frequency" and "high frequency" vocabulary words are admittedly of great importance, yet there are still many "zero-frequency" vocabulary words which are required by the test syllabus but have never appeared in HSK examinations before. Students should be alerted to these words, as it's likely that in future examinations, such words and expressions may become test points.

Furthermore, polysyllabic and polysemic words are arranged in the series in accordance with the *Chinese Proficiency Test Syllabus* so that students don't have to worry about these special words.

To sum it up, we hope the "Frequency-based HSK Vocabulary" series will help pave the way for students to master Chinese vocabulary and pass the HSK examinations.

Compilers

超高频词汇

的　de　*part.*

of (used before a noun, linking it to preceding possessive or descriptive attributive)

❶这个字是不是"月亮"的"月"？
Zhè gè zì shì bu shì "yuèliang" de "yuè" ?

❷孩子的世界很简单。
Háizi de shìjiè hěn jiǎndān.

了　le　*part.*

(used at the end of a sentence to indicate a change of situation: completed action marker)

❶秋天来了。
Qiūtiān lái le.

❷小赵在那儿工作三年了。
Xiǎo Zhào zài nàr gōngzuò sān nián le.

我　wǒ　*pron.*

❶我想买一些铅笔。　　　　　　I, me
Wǒ xiǎng mǎi yìxiē qiānbǐ.

❷你明天来接我吗？
Nǐ míngtiān lái jiē wǒ ma ?

你　nǐ　*pron.*

❶你自己挑吧。Nǐ zìjǐ tiāo ba.　　you
❷你好吗？Nǐ hǎo ma?

是　　shì　　*v.*

❶ 这是他的书。　　be (is/am/are); yes
Zhè shì tā de shū.

❷ 是，我去上海。　　Shì, wǒ qù Shànghǎi.

这　　zhè　　*pron.*

❶ 这个杯子十块钱。　　this
Zhè gè bēizi shí kuài qián.

❷ 我喜欢这个地方。　　Wǒ xǐhuan zhè gè dìfang.

个　　gè　　*m.w.*

(measure word for people or objects in general)

❶ 他有多少个苹果？
Tā yǒu duōshǎo gè píngguǒ ?

❷ 你在哪个学校上学？
Nǐ zài nǎ gè xuéxiào shàngxué ?

不　　bú　　*adv.*

❶ 我不爱吃苹果。　　not, no
Wǒ bú ài chī píngguǒ.

❷ 下午我不在家，你明天来吧。
Xiàwǔ wǒ bú zài jiā, nǐ míngtiān lái ba.

去　　qù　　*v.*

❶ 我们什么时候去爬山？　　go; go to (a place)
Wǒmen shénme shíhou qù páshān ?

❷ 每个星期五，我都去打篮球。
Měi gè xīngqīwǔ, wǒ dōu qù dǎ lánqiú.

有　　yǒu　　*v.*

❶ 他是大学老师，他有很多
学生。 `have; there be`
Tā shì dàxué lǎoshī, tā yǒu hěn duō xuésheng.

❷ 后面有椅子，你坐吗？
Hòumiàn yǒu yǐzi, nǐ zuò ma?

好　　hǎo　　*adj. & adv.*

❶ 大家可以好好放松一下了。 `good; well`
Dàjiā kěyǐ hǎohǎo fàngsōng yíxià le.

❷ 我们准备好了。
Wǒmen zhǔnbèi hǎo le.

在　　zài　　*prep.*

`in the middle of doing sth. (indicating an action in progress); at`

❶ 她们在买水果呢。
Tāmen zài mǎi shuǐguǒ ne.

❷ 电脑在桌子上。
Diànnǎo zài zhuōzi shang.

很　　hěn　　*adv.*

❶ 那儿离我家很近，很方便。 `very`
Nàr lí wǒ jiā hěn jìn, hěn fāngbiàn.

❷ 鸡蛋卖得很便宜。
Jīdàn mài de hěn piányi.

什么　　shénme　　*pron.*

❶ 她每天在家做什么？ `what`
Tā měi tiān zài jiā zuò shénme?

❷你新买的车是什么牌子的？
Nǐ xīn mǎi de chē shì shénme páizi de ?

看 kàn v.

❶我和女儿都爱看话剧。 watch, see (a doctor)
Wǒ hé nǚ'ér dōu ài kàn huàjù.

❷她要去看医生。
Tā yào qù kàn yīshēng.

他 tā pron.

❶他是医生。Tā shì yīshēng. he, him

❷我在车站看见他了。
Wǒ zài chēzhàn kànjiàn tā le.

一 yī num.

❶你想买哪一个？ one
Nǐ xiǎng mǎi nǎ yí gè?

❷我希望有一天能有一个小狗。
Wǒ xīwàng yǒu yì tiān néng yǒu yí gè xiǎogǒu.

吗 ma interj.

❶你看见我的手机了吗？ (question marker)
Nǐ kànjiàn wǒ de shǒujī le ma?

❷喂？是李先生吗？
Wéi? Shì Lǐ xiānsheng ma?

那 nà pron.

❶我们去前面那个饭店吃饭，怎么样？ that
Wǒmen qù qiánmian nà gè fàndiàn chīfàn,
zěnmeyàng?

❷那是谁的书？ Nà shì shuí de shū?

就　　jiù　　*adv.*

right away; just (used to emphasize)

❶没事儿，我很快就办完。
Méishìr, wǒ hěn kuài jiù bànwán.

❷向北走，就在那儿。
Xiàng běi zǒu, jiù zài nàr.

来　　lái　　*v.*

❶妈妈什么时候来北京呢？　come
Māma shénme shíhou lái Běijīng ne?

❷你来开车，我坐后边。
Nǐ lái kāichē, wǒ zuò hòubian.

点　　diǎn　　*m.w. & num.*

❶现在是上午八点四十。　o'clock; a little
Xiànzài shì shàngwǔ bā diǎn sìshí.

❷我今天有点儿累。 Wǒ jīntiān yǒu diǎnr lèi.

要　　yào　　*v.*

❶我每天都要洗碗。　must, want
Wǒ měi tiān dōu yào xǐwǎn.

❷茶来了，要不要喝一杯？
Chá lái le, yào bu yào hē yì bēi?

人　　rén　　*n.*

❶你家有几口人？　person, people
Nǐ jiā yǒu jǐ kǒu rén?

❷打电话的那个人是我同学。
Dǎ diànhuà de nà gè rén shì wǒ tóngxué.

超高频

吧 ba *interj.*

(used to indicate polite suggestion)

❶ 苹果很便宜，我们买一些吧？
Píngguǒ hěn piányi, wǒmen mǎi yìxiē ba?

❷ 我做的菜还可以吧？
Wǒ zuò de cài hái kěyǐ ba?

多 duō *adj. & adv.*

❶ 这里很多年没下雪了。 many; much more
Zhèlǐ hěn duō nián méi xiàxuě le.

❷ 天气太热了，多喝些水。
Tiānqì tài rè le, duō hē xiē shuǐ.

下 xià *n. & adj.*

❶ 小狗在桌子下面。 under; next
Xiǎogǒu zài zhuōzi xiàmiàn.

❷ 医生说下个星期做手术。
Yīshēng shuō xià gè xīngqī zuò shǒushù.

我们 wǒmen *pron.*

❶ 我们坐火车去。 we, us
Wǒmen zuò huǒchē qù.

❷ 你明天来找我们吧。
Nǐ míngtiān lái zhǎo wǒmen ba.

会 huì *v.*

❶ 你会说英语吗？ can, be possible
Nǐ huì shuō Yīngyǔ ma?

❷ 可能会对你有帮助。
Kěnéng huì duì nǐ yǒu bāngzhù.

到 dào v.

❶ 那个电脑不到四千元。 be up to; arrive
Nà gè diànnǎo bú dào sìqiān yuán.

❷ 再有 20 分钟我就到火车站了。
Zài yǒu èrshí fēnzhōng wǒ jiù dào huǒchēzhàn le.

还 hái adv.

❶ 他还在教室里看书。 even more, still
Tā hái zài jiàoshì li kànshū.

❷ 这个房间很干净，还能上网，那我们先
住这儿吧。
Zhè gè fángjiān hěn gānjìng, hái néng
shàngwǎng, nà wǒmen xiān zhù zhèr ba.

买 mǎi v.

❶ 听说你准备买车，有喜欢 buy, purchase
的吗?
Tīngshuō nǐ zhǔnbèi mǎi chē, yǒu xǐhuan de
ma?

❷ 您想买什么牌子的手机?
Nín xiǎng mǎi shénme páizi de shǒujī?

女 nǚ n.

❶ 我们班女生比男生多。 female, woman
Wǒmen bān nǚshēng bǐ nánshēng duō.

❷ 小李旁边那个女孩儿是谁?
Xiǎo Lǐ pángbiān nà gè nǚháir shì shuí?

吃 chī v.

❶ 医生说爸爸不能吃甜的。 eat
Yīshēng shuō bàba bù néng chī tián de.

❷ 这个季节吃什么水果比较好？
Zhè gè jìjié chī shénme shuǐguǒ bǐjiào hǎo?

家　jiā　*n. & m.w.*

home; (measure word for families or businesses)

❶ 家里还有苹果吗？
Jiā li hái yǒu píngguǒ ma?

❷ 我觉得这家饭馆还不错，你说呢？
Wǒ juéde zhè jiā fànguǎn hái búcuò, nǐ shuō
ne?

想　xiǎng　*v.*

❶ 他想看什么节目？　　　　wish, want
Tā xiǎng kàn shénme jiémù?

❷ 她想看大象。Tā xiǎng kàn dàxiàng.

她　tā　*pron.*

❶ 她在商场买东西。　　　she, her
Tā zài shāngchǎng mǎi dōngxi.

❷ 我们去机场接她。
Wǒmen qù jīchǎng jiē tā.

现在　xiànzài　*n.*

❶ 你现在去机场？　　now, at present
Nǐ xiànzài qù jīchǎng?

❷ 她儿子现在在上海读书。
Tā érzi xiànzài zài Shànghǎi dúshū.

都　dōu　*adv.*

❶ 都这么晚了，你怎么还没写　already, all
完？

Dōu zhème wǎn le, nǐ zěnme hái méi xiěwán?

❷同事们都很喜欢她。
Tóngshìmen dōu hěn xǐhuan tā.

| 小 | xiǎo | *adj.* |

❶这件衣服太小了。 small, tiny
Zhè jiàn yīfu tài xiǎo le.

❷你什么时候来看我家小狗？
Nǐ shénme shíhou lái kàn wǒ jiā xiǎogǒu?

| 男 | nán | *n.* |

❶你们班有多少个男同学？ male, man
Nǐmen bān yǒu duōshao gè nántóngxué?

❷男人的压力很大。
Nánrén de yālì hěn dà.

| 做 | zuò | *v.* |

❶他做过哪些工作？ do
Tā zuòguo nǎxiē gōngzuò?

❷你的作业做完了吗？
Nǐ de zuòyè zuòwán le ma?

| 怎么 | zěnme | *pron.* |

❶下雨了，我们怎么回家？ how, what
Xiàyǔ le, wǒmen zěnme huí jiā?

❷你怎么不高兴了？
Nǐ zěnme bù gāoxìng le?

| 年 | nián | *n.* |

❶李老师的女儿今年二十了。 year
Lǐ lǎoshī de nǚ'ér jīnnián èrshí le.

❷我们认识三年了。
Wǒmen rènshi sān nián le.

| 和 | hé | *conj.* |

❶冰箱里有面包和牛奶。 and, with
Bīngxiāng li yǒu miànbāo hé niúnǎi.

❷他不想和大家说再见。
Tā bù xiǎng hé dàjiā shuō zàijiàn.

| 您 | nín | *pron.* |

❶先生,您想喝点儿什么? you (polite form)
Xiānsheng, nín xiǎng hē diǎnr shénme?

❷您从几岁开始学习小提琴?
Nín cóng jǐ suì kāishǐ xuéxí xiǎotíqín?

| 太 | tài | *adv.* |

❶这件衣服太大了,有小一点儿 too, very
的吗?
Zhè jiàn yīfu tài dà le, yǒu xiǎo yìdiǎnr de ma?

❷这条裙子太漂亮了,谢谢你。
Zhè tiáo qúnzi tài piāoliang le, xièxie nǐ.

| 可以 | kěyǐ | *v.* |

❶这本书可以借给我看看吗? can, be able to
Zhè běn shū kěyǐ jiègěi wǒ kànkan ma?

❷你可以说得慢一点儿吗?
Nǐ kěyǐ shuō de màn yìdiǎnr ma?

呢　ne　*interj.*

(marker of a special alternative or rhetorical question)

❶ 奶奶什么时候来北京呢？
Nǎinai shénme shíhou lái Běijīng ne?

❷ 孩子没学习，在看电视呢。
Háizi méi xuéxí, zài kàn diànshì ne.

说　shuō　*v.*　say, talk

❶ 对不起，你说什么？我听不清。
Duìbuqǐ, nǐ shuō shénme? Wǒ tīng bu qīng.

❷ 儿子说，他喜欢那个手机。
Érzi shuō, tā xǐhuan nà gè shǒujī.

怎么样　zěnmeyàng　*pron.*　how about

❶ 你的汉语怎么样？
Nǐ de Hànyǔ zěnmeyàng?

❷ 明天我请你吃饭怎么样？
Míngtiān wǒ qǐng nǐ chīfàn zěnmeyàng?

今天　jīntiān　*n.*　today

❶ 你今天去北京？
Nǐ jīntiān qù Běijīng?

❷ 今天太冷了，我不想去。
Jīntiān tài lěng le, wǒ bù xiǎng qù.

几　jǐ　*num.*　how many, several

❶ 你去北京学习几天？
Nǐ qù Běijīng xuéxí jǐ tiān?

❷请你读一下这几个汉字。
Qǐng nǐ dú yíxià zhè jǐ gè Hànzì.

喜欢 xǐhuan v.

❶中国人喜欢喝茶。　　　like, be fond of
Zhōngguórén xǐhuan hē chá.

❷我很喜欢这本书。
Wǒ hěn xǐhuan zhè běn shū.

听 tīng v.

❶你说什么？我听不清。　　　listen, hear
Nǐ shuō shénme? Wǒ tīng bu qīng.

❷你们听懂了吗？
Nǐmen tīngdǒng le ma?

得 dé part.

(used between a verb and its complement to express possibility or capability)

❶你的歌唱得真不错！
Nǐ de gē chàng de zhēn búcuò!

❷大家玩儿得很高兴。
Dàjiā wánr de hěn gāoxìng.

给 gěi prep. & v.

❶你给我打电话了？　　　to, for; give
Nǐ gěi wǒ dǎ diànhuà le?

❷给您，这是今天的报纸。
Gěi nín, zhè shì jīntiān de bàozhǐ.

别 bié adv.

(do) not, (must) not, else

❶你别睡了，快迟到了。
Nǐ bié shuì le, kuài chídào le.

❷下雨了，你别走了。
Xià yǔ le, nǐ bié zǒu le.

也　yě　*adv.*

❶我也想住得近点儿。　also
Wǒ yě xiǎng zhù de jìn diǎnr.

❷从我家到学校也就五分钟的路。
Cóng wǒ jiā dào xuéxiào yě jiù wǔ fēnzhōng de lù.

里　lǐ　*n.*

❶里面有很多橘子。　inside
Lǐmiàn yǒu hěn duō júzi.

❷教室里边有人吗？　Jiàoshì lǐbiān yǒu rén ma?

明天　míngtiān　*n.*

❶他们明天怎么去那儿？　tomorrow
Tāmen míngtiān zěnme qù nàr?

❷我明天去广州。Wǒ míngtiān qù Guǎngzhōu.

坐　zuò　*v.*

❶你想坐哪列　sit, take (a bus, airplane, etc.)
火车？
Nǐ xiǎng zuò nǎ liè huǒchē?

❷我每天坐公共汽车去上班。
Wǒ měi tiān zuò gōnggòng qìchē qù shàngbān.

哪儿 nǎr *pron.*

❶那本词典在哪儿？ where
Nà běn cídiǎn zài nǎr?

❷你在哪儿工作？ Nǐ zài nǎr gōngzuò?

些 xiē *m.w.*

❶这些苹果是谁买的？ some, several
Zhèxiē píngguǒ shì shuí mǎi de?

❷喝牛奶可以让你睡得更好些。
Hē niúnǎi kěyǐ ràng nǐ shuì de gèng hǎo xiē.

日 rì *n. & m.w.*

❶7月20日是我的 date; day of the month
生日。
Qī yuè èrshí rì shì wǒ de shēngrì.

❷今天是3月1日。 Jīntiān shì sān yuè yī rì.

再 zài *adv.*

❶再有三天就是我的生 in addition, again
日了。
Zài yǒu sān tiān jiù shì wǒ de shēngrì le.

❷欢迎下次再来。 Huānyíng xià cì zài lái.

知道 zhīdào *v.*

❶下个月去旅游的事你知道了吗？ know
Xià gè yuè qù lǚyóu de shì nǐ zhīdào le ma?

❷我知道怎么去那里了。
Wǒ zhīdào zěnme qù nàli le.

十 shí *num.*

❶十号早上我打电话叫你。 ten

Shí hào zǎoshang wǒ dǎ diànhuà jiào nǐ.

❷现在都十点了，小张怎么还没出来？

Xiànzài dōu shí diǎn le, Xiǎo Zhāng zěnme hái méi chūlái?

时候 shíhou *n.*

❶这个手机是什么时 候买的？ `time, the time when`

Zhè gè shǒujī shì shénme shíhou mǎi de?

❷昨天晚上吃饭的时候，儿子送我一块儿手表。

Zuótiān wǎnshang chīfàn de shíhou, érzi sòng wǒ yí kuàir shóubiǎo.

上 shàng *n. & adj.*

❶椅子上的衣服是我的。 `on; last`

Yǐzi shàng de yīfu shì wǒ de.

❷上个星期六我去爬山了。

Shàng gè xīngqīliù wǒ qù páshān le.

回 huí *v. & m.w.*

`go back; (measure word for acts of a play)`

❶我们怎么回公园？

Wǒmen zěnme huí gōngyuán?

❷我不知道是怎么回事。

Wǒ bù zhīdào shì zěnme huíshì.

大 dà *adj.*

❶这个衣服太大了，有小 `big, (of age) old` 一点儿的吗？

Zhè gè yīfu tài dà le, yǒu xiǎo yìdiǎnr de ma?

❷你今年多大了？
Nǐ jīnnián duō dà le?

能　　néng　　*v.*

❶我今天一定能完成任务。 be able to, can
Wǒ jīntiān yídìng néng wánchéng rènwu.

❷我希望有一天能有一个小狗。
Wǒ xīwàng yǒu yì tiān néng yǒu yí gè xiǎogǒu.

两　　liǎng　　*num.*

❶我去玩儿两个星期，十月十五日 two
回来。
Wǒ qù wánr liǎng gè xīngqī, shí yuè shíwǔ rì
huílái.

❷从家到工厂，开车要两个小时。
Cóng jiā dào gōngchǎng, kāichē yào liǎng gè
xiǎoshí.

真　　zhēn　　*adv.*

❶公园里的人真多！ indeed
Gōngyuán li de rén zhēn duō！

❷你妹妹真漂亮。Nǐ mèimei zhēn piàoliang.

喝　　hē　　*v.*

❶你喜欢喝茶吗？ drink
Nǐ xǐhuan hē chá ma?

❷我们喝点儿啤酒吧。
Wǒmen hē diǎnr píjiǔ ba.

书　　shū　　*n.*

❶上午我买了三本书。 book

Shàngwǔ wǒ mǎile sān běn shū.

❷她儿子现在在上海读书。

Tā érzi xiànzài zài Shànghǎi dúshū.

次	cì	m.w.

❶第一次见面我就喜欢上她了。 `time`

Dì-yī cì jiànmiàn wǒ jiù xǐhuan shàng tā le.

❷下次考试的时候，要仔细检查。

Xià cì kǎoshì de shíhou, yào zǐxì jiǎnchá.

最	zuì	adv.

❶宝宝最爱吃鱼。 `most`

Bǎobao zuì ài chī yú.

❷我妹妹的孩子最喜欢问为什么。

Wǒ mèimei de háizi zuì xǐhuan wèn wèi shénme.

开	kāi	v.

❶我明天开车去上班。 `open, start`

Wǒ míngtiān kāichē qù shàngbān.

❷快来帮我开门。 Kuài lái bāng wǒ kāimén.

找	zhǎo	v.

❶谢谢您帮我找到了小猫。 `look for`

Xièxie nín bāng wǒ zhǎodàole xiǎomāo.

❷我弟弟找到了工作。

Wǒ dìdi zhǎodàole gōngzuò.

写	xiě	v.

❶你的作文写完了吗？ `write`

Nǐ de zuòwén xiěwán le ma?

❷我给他写信了。
Wǒ gěi tā xiěxìn le.

钱　　qián　　*n.*

coin, money

❶这些苹果 7 块钱。
Zhèxiē píngguǒ qī kuài qián.

❷这本书多少钱？
Zhè běn shū duōshao qián?

谢谢　xièxie　　*v.*

thank, thank you

❶谢谢你请我吃饭。
Xièxie nǐ qǐng wǒ chīfàn.

❷我要一杯红茶，谢谢！
Wǒ yào yì bēi hóngchá, xièxie!

请　　qǐng　　*v.*

please (do sth.), treat (to a meal, movie, etc.)

❶服务员，请给我一杯咖啡，谢谢。
Fúwùyuán, qǐng gěi wǒ yì bēi kāfēi, xièxie.

❷谢谢你请我看电影。
Xièxie nǐ qǐng wǒ kàn diànyǐng.

月　　yuè　　*n.*

month

❶今天是 8 月 19 日。
Jīntiān shì bā yuè shíjiǔ rì.

❷"你的孩子多大了？" "九个月。"
"Nǐ de háizi duō dà le?" "Jiǔ gè yuè."

谁　　shuí　　*pron.*

who, whom

❶谁在教室里？
Shuí zài jiàoshì li?

❷谁能告诉我这个字怎么写?
Shuí néng gàosu wǒ zhè gè zì zěnme xiě?

一下 yíxià *part.*

(used after a verb as its complement, indicating an act or an attempt)

❶等一下,我这儿的东西太多了。
Děng yíxià, wǒ zhèr de dōngxi tài duō le.

❷我介绍一下,这是我妹妹。
Wǒ jièshào yíxià, zhè shì wǒ mèimei.

问题 wèntí *n.*

❶他希望明天得到这个问题的 question
答案。
Tā xīwàng míngtiān dédào zhè gè wèntí de dá'àn.

❷请你来回答这个问题。
Qǐng nǐ lái huídá zhè gè wèntí.

觉得 juéde *v.*

❶我觉得那件红的更漂亮。 think, feel
Wǒ juéde nà jiàn hóng de gèng piàoliang.

❷我觉得你的办法是最合适的。
Wǒ juéde nǐ de bànfǎ shì zuì héshì de.

已经 yǐjīng *adv.*

❶他已经两天没睡觉了。 already
Tā yǐjīng liǎng tiān méi shuìjiào le.

❷现在雨已经停了。
Xiànzài yǔ yǐjīng tíng le.

朋友　　péngyou　　*n.*

❶我朋友在上海工作。　　friend
Wǒ péngyou zài Shànghǎi gōngzuò.

❷我有很多朋友。
Wǒ yǒu hěn duō péngyou.

走　　zǒu　　*v.*

❶从我家到学校走十分钟就到了。　　walk
Cóng wǒ jiā dào xuéxiào zǒu shí fēnzhōng jiù dào le.

❷从办公楼向北走就是图书馆。
Cóng bàngōnglóu xiàng běi zǒu jiùshì túshūguǎn.

高　　gāo　　*adj.*

❶他是班上最高的同学。　　high, tall
Tā shì bān shang zuì gāo de tóngxué.

❷他很高，适合打篮球。
Tā hěn gāo, shìhé dǎ lánqiú.

昨天　　zuótiān　　*n.*

❶他昨天去学习游泳了。　　yesterday
Tā zuótiān qù xuéxí yóuyǒng le.

❷我昨天买了些杯子。
Wǒ zuótiān mǎile xiē bēizi.

北京　　Běijīng　　*n.*

Beijing, (capital of the People's Republic of China)

❶下个星期我们一家人要去北京旅游。
Xià gè xīngqī wǒmen yì jiā rén yào qù Běijīng lǚyóu.

❷他来北京多长时间了？
Tā lái Běijīng duō cháng shíjiān le?

快 kuài *adj. & adv.*

❶快点儿来吃饭吧。 quick; quickly
Kuài diǎnr lái chīfàn ba.

❷火车快开了，你回去吧。
Huǒchē kuài kāi le, nǐ huíqù ba.

星期 xīngqī *n.*

❶明天星期一，我去上学。 week
Míngtiān xīngqīyī, wǒ qù shàngxué.

❷你下个星期去美国？
Nǐ xià gè xīngqī qù Měiguó?

时间 shíjiān *n.*

❶我很长时间没运动了。 time, period
Wǒ hěn cháng shíjiān méi yùndòng le.

❷对不起，再给我两天时间。
Duìbuqǐ, zài gěi wǒ liǎng tiān shíjiān.

爱 ài *v.*

❶女孩子都喜欢穿裙子，爱唱 love, like
歌、跳舞。
Nǚháizi dōu xǐhuan chuān qúnzi, ài chànggē,
tiàowǔ.

❷小孩子爱吃饼干。
Xiǎoháizi ài chī bǐnggān.

问 wèn *v.*

❶对不起，我也不知道，你再问问别 ask

超
高
频

人吧。
Duìbuqǐ, wǒ yě bù zhīdào, nǐ zài wènwen biéren ba.

❷请问，学校附近有邮局吗？
Qǐngwèn, xuéxiào fùjìn yǒu yóujú ma?

块　kuài　*m.w.*

piece, (colloquial word for yuan)

❶我就吃一小块儿西瓜。
Wǒ jiù chī yì xiǎo kuàir xīguā.

❷五块钱一斤。Wǔ kuài qián yì jīn.

出　chū　*v.*

❶你出去的时候关上门。
Nǐ chūqù de shíhou guānshàng mén. go out

❷去年我的女朋友出国了。
Qùnián wǒ de nǚpéngyou chūguó le.

工作　gōngzuò　*n. & v.*

❶小赵在那儿工作了八年，认 job; work
识很多朋友。
Xiǎo Zhào zài nàr gōngzuòle bā nián, rènshi hěn duō péngyou.

❷这个工作是我自己找的。
Zhè gè gōngzuò shì wǒ zìjǐ zhǎo de.

老师　lǎoshī　*n.*

❶李老师在上课呢。 teacher
Lǐ lǎoshī zài shàngkè ne.

❷他是我们的法语老师。
Tā shì wǒmen de Fǎyǔ lǎoshī.

等 děng　*v.*

❶ 大家都等你一起吃饭呢。　wait for, await
Dàjiā dōu děng nǐ yìqǐ chīfàn ne.

❷ 对不起，你等我一会儿，我很快就到机场了。
Duìbuqǐ, nǐ děng wǒ yíhuìr, wǒ hěn kuài jiù dào jīchǎng le.

三 sān　*num.*

❶ 我们班有十三个女同学。　three
Wǒmen bān yǒu shísān gè nǚtóngxué.

❷ 我这次来北京打算住三天。
Wǒ zhè cì lái Běijīng dǎsuan zhù sān tiān.

哪 nǎ　*pron.*

❶ 你想吃哪一种？　which
Nǐ xiǎng chī nǎ yì zhǒng?

❷ 你是哪年来这儿上大学的？
Nǐ shì nǎ nián lái zhèr shàng dàxué de?

新 xīn　*adj.*

❶ 我买了一个新电脑。　new
Wǒ mǎile yí gè xīn diànnǎo.

❷ 他是新来的中文老师。
Tā shì xīn lái de Zhōngwén lǎoshī.

可能 kěnéng　*adj. & adv.*

❶ 天阴了，可能要下雪。　possible; possibly
Tiān yīn le, kěnéng yào xiàxuě.

❷ 白先生可能知道这件事了。
Bái xiānsheng kěnéng zhīdào zhè jiàn shì le.

没有 méiyǒu *v. & adv.*

have not; less than (used in comparative sentences)

❶ 我没有工作，失业了。
Wǒ méiyǒu gōngzuò, shīyè le.

❷ 今年没有去年热。
Jīnnián méiyǒu qùnián rè.

学校 xuéxiào *n.*

❶ 你们学校有多少个老师？　　school
Nǐmen xuéxiào yǒu duōshao gè lǎoshī?

❷ 我们学校很大，很漂亮。
Wǒmen xuéxiào hěn dà, hěn piàoliang.

件 jiàn *m.w.*

(measure word for events, things, clothes, etc.)

❶ 旅游是一件让人高兴的事情。
Lǚyóu shì yí jiàn ràng rén gāoxìng de shìqing.

❷ 这件衣服太大了，不买了。
Zhè jiàn yīfu tài dà le, bù mǎi le.

东西 dōngxi *n.*

❶ 我看冰箱里塞满了东西。　　thing, stuff
Wǒ kàn bīngxiāng li sāimǎnle dōngxi.

❷ 他昨天在网上买了很多东西。
Tā zuótiān zài wǎngshàng mǎile hěn duō dōngxi.

每 měi *pron.*

❶ 他每天六点半上地铁。　　each, every
Tā měi tiān liù diǎn bàn shàng dìtiě.

❷ 你应该每年去检查一次身体。

Nǐ yīnggāi měi nián qù jiǎnchá yí cì shēntǐ.

让　ràng　*prep.*

❶ 赵老师让我告诉你，你的　　`let sb do sth`
火车票买到了。
Zhào lǎoshī ràng wǒ gàosu nǐ, nǐ de
huǒchēpiào mǎidào le.

❷ 别害怕，让我看看你的眼睛。
Bié hàipà, ràng wǒ kànkan nǐ de yǎnjing.

对　duì　*prep.*

❶ 经常锻炼对身体好。　　`for, to`
Jīngcháng duànliàn duì shēntǐ hǎo.

❷ 也许我的回答能对你有帮助。
Yěxǔ wǒ de huídá néng duì nǐ yǒu bāngzhù.

把　bǎ　*prep. & m.w.*

(used to place the recipient of an action before the
verb; measure word for objects with handle)

❶ 考试马上就要开始了，把手机关了吧。
Kǎoshì mǎshàng jiù yào kāishǐ le, bǎ shǒujī
guānle ba.

❷ 他买了一把雨伞。
Tā mǎile yì bǎ yǔsǎn.

送　sòng　*v.*

❶ 儿子送我一个　　`give (as a present), see off`
手机。
Érzi sòng wǒ yí gè shǒujī.

❷ 我送你去车站。
Wǒ sòng nǐ qù chēzhàn.

完　wán　v.

finish

❶ 她喝完药就睡觉了。
Tā hēwán yào jiù shuìjiào le.

❷ 我写完作业马上就来。
Wǒ xiěwán zuòyè mǎshàng jiù lái.

儿子　érzi　n.

son

❶ 他儿子是教授。
Tā érzi shì jiàoshòu.

❷ 他儿子很可爱。
Tā érzi hěn kě'ài.

叫　jiào　v.

call, order

❶ 她叫白云，是我的高中同学。
Tā jiào Bái Yún, shì wǒ de gāozhōng tóngxué.

❷ 你去叫救护车吧。
Nǐ qù jiào jiùhùchē ba.

五　wǔ　num.

five

❶ 五点多了，他半小时后能来吗？
Wǔ diǎn duō le, tā bàn xiǎoshí hòu néng lái ma?

❷ 今天是三月五日。
Jīntiān shì sān yuè wǔ rì.

本　běn　m.w.

(measure word for books)

❶ 桌子上的这本书是谁的，你知道吗？
Zhuōzi shang de zhè běn shū shì shuí de, nǐ zhīdào ma?

❷ 那本书被我借走了。
Nà běn shū bèi wǒ jièzǒu le.

为什么　　wèi shénme

超高频

❶ 你为什么想学汉语？　　why
Nǐ wèi shénme xiǎng xué Hànyǔ?

❷ 学生们为什么喜欢他？
Xuéshengmen wèi shénme xǐhuan tā?

过　　guò　　*v.*

(used to indicate a passed action)

❶ 我没去过韩国，我希望今年能去韩国旅游。
Wǒ méi qùguo Hánguó, wǒ xīwàng jīnnián néng qù Hánguó lǚyóu.

❷ 他是我女儿的同学，来过我们家。
Tā shì wǒ nǚ'ér de tóngxué, láiguo wǒmen jiā.

女儿　　nǚ'ér　　*n.*

❶ 他是女儿的同学，来过我们家。　　daughter
Tā shì nǚ'ér de tóngxué, láiguo wǒmen jiā.

❷ 我女儿今年考上大学了。
Wǒ nǚ'ér jīnnián kǎoshàng dàxué le.

岁　　suì　　*m.w.*

❶ 我六岁。　　(measure word for years of age)
Wǒ liù suì.

❷ 小朋友，你几岁了？
Xiǎopéngyou, nǐ jǐ suì le?

衣服　　yīfu　　*n.*

❶ 我正在商店试衣服。　　clothes
Wǒ zhèngzài shāngdiàn shì yīfu.

❷中午她给妈妈买了一件衣服。
Zhōngwǔ tā gěi māma mǎile yí jiàn yīfu.

菜   cài   *n.*

❶这家饭馆最好吃的菜是   `dish, vegetable`
什么？
Zhè jiā fànguǎn zuì hǎochī de cài shì shénme?

❷她每天下班都去市场买菜。
Tā měi tiān xiàbān dōu qù shìchǎng mǎi cài.

少   shǎo   *adj. & adv.*

❶今天的米饭有点儿少。   `few; a little`
Jīntiān de mǐfàn yǒu diǎnr shǎo.

❷炒菜时要少放盐。
Chǎocài shí yào shǎo fàng yán.

同学   tóngxué   *n.*

❶我的同学来自不同的国家。   `classmate`
Wǒ de tóngxué láizì bùtóng de guójiā.

❷我那个同学在银行工作。
Wǒ nà gè tóngxué zài yínháng gōngzuò.

中国   Zhōngguó   *n.*

❶她在中国工作三年了。   `China`
Tā zài Zhōngguó gōngzuò sān nián le.

❷你什么时候回中国？
Nǐ shénme shíhou huí Zhōngguó?

电影   diànyǐng   *n.*

❶昨天的电影很好看。   `movie, film`
Zuótiān de diànyǐng hěn hǎokàn.

❷同学送了我两张电影票。
Tóngxué sòngle wǒ liǎng zhāng diànyǐngpiào.

天气 tiānqì *n.*

❶今天天气很好。 weather
Jīntiān tiānqì hěn hǎo.

❷现在天气怎么样?
Xiànzài tiānqì zěnmeyàng?

分钟 fēnzhōng *n.*

❶坐出租车要20多分钟吧。 minute
Zuò chūzūchē yào èrshí duō fēnzhōng ba.

❷让我再睡十分钟。
Ràng wǒ zài shuì shí fēnzhōng.

住 zhù *v.*

❶她住在上海市静安区。 live, reside
Tā zhù zài Shànghǎi Shì Jìngān Qū.

❷我有个朋友下个月要来上海住几天。
Wǒ yǒu gè péngyou xià gè yuè yào lái
Shànghǎi zhù jǐ tiān.

冷 lěng *adj.*

❶他坚持用冷水洗澡很多年了。 cold
Tā jiānchí yòng lěngshuǐ xǐzǎo hěn duō nián le.

❷今天突然就变冷了。
Jīntiān tūrán jiù biànlěng le.

洗 xǐ *v.*

❶他出门的时候, wash, develop (the film)
我正在洗衣服呢。

Tā chūmén de shíhou, wǒ zhèngzài xǐ yīfu ne.

❷上次你们爬山的照片，我选了几张洗出
来了。

Shàngcì nǐmen páshān de zhàopiàn, wǒ xuǎnle
jǐ zhāng xǐ chūlái le.

漂亮　piàoliang　*adj.*

❶你妹妹真漂亮！　　pretty, beautiful
Nǐ mèimei zhēn piàoliang !

❷左边这个黑色的就很漂亮。
Zuǒbian zhè gè hēisè de jiù hěn piàoliang.

穿　chuān　*v.*

❶外面很冷，你穿得太少了。　dress, wear
Wàimiàn hěn lěng, nǐ chuān de tài shǎo le.

❷明天同学结婚，我在想穿哪件衣服好呢。
Míngtiān tóngxué jiéhūn, wǒ zài xiǎng chuān
nǎ jiàn yīfu hǎo ne.

对不起　duìbuqǐ　*v.*

❶对不起，我能请教您几个问题吗？ sorry
Duìbuqǐ, wǒ néng qǐngjiào nín jǐ gè wèntí ma?

❷对不起，我明天不能请你吃饭了。
Duìbuqǐ, wǒ míngtiān bù néng qǐng nǐ chīfàn le.

多少　duōshao　*pron.*

❶你们学校有多少　how many, how much
学生？
Nǐmen xuéxiào yǒu duōshao xuésheng?

❷白菜多少钱一斤？
Báicài duōshao qián yì jīn?

二　èr　*num.*

❶ 现在五点二十，我们六点在机场见。　two
Xiànzài wǔ diǎn èrshí, wǒmen liù diǎn zài
jīchǎng jiàn.

❷ 这是我第二次来南京。
Zhè shì wǒ dì-èr cì lái Nánjīng.

下午　xiàwǔ　*n.*

❶ 下午我们去机场。　afternoon
Xiàwǔ wǒmen qù jīchǎng.

❷ 你姐姐下午几点到？
Nǐ jiějie xiàwǔ jǐ diǎn dào?

长　cháng　*adj.*

❶ 看电视时间长了，眼睛得休息　long
休息。
Kàn diànshì shíjiān cháng le, yǎnjing děi xiūxi
xiūxi.

❷ 你学法语多长时间了？
Nǐ xué Fáyǔ duō cháng shíjiān le?

公司　gōngsī　*n.*

❶ 她家离公司很近，走路　company, firm
10 分钟就能到。
Tā jiā lí gōngsī hěn jìn, zǒulù shí fēnzhōng jiù
néng dào.

❷ 欢迎你加入我们公司工作。
Huānyíng nǐ jiārù wǒmen gōngsī gōngzuò.

认识　rènshi　*v.*

❶ 这个活动让我认识了很　know, meet

多人。
Zhè gè huódòng ràng wǒ rènshile hěn duō rén.

❷我们上个星期才认识，只是普通朋友。
Wǒmen shàng gè xīngqī cái rènshi, zhǐshì pǔtōng péngyou.

着 zhe *part.*

(used after a verb to indicate action in progress, like -ing ending)

❶他正忙着做饭呢。
Tā zhèng mángzhe zuòfàn ne.

❷他每天都做着同样的工作，有些厌倦了。
Tā měi tiān dōu zuòzhe tóngyàng de gōngzuò, yǒuxiē yànjuàn le.

水 shuǐ *n.*

❶水是生命之源。 `water`
Shuǐ shì shēngmìng zhī yuán.

❷早上喝水对身体有好处。
Zǎoshang hē shuǐ duì shēntǐ yǒu hǎochu.

学习 xuéxí *v.*

❶我在学习做北京菜。 `learn, study`
Wǒ zài xuéxí zuò Běijīngcài.

❷他还在图书馆里学习。
Tā hái zài túshūguǎn li xuéxí.

自己 zìjǐ *pron.*

❶我终于有了自己的房子了，明天 `oneself` 就可以搬家了。

Wǒ zhōngyú yǒule zìjǐ de fángzi le, míngtiān jiù kěyǐ bānjiā le.

❷ 你到外国以后，自己照顾好自己。
Nǐ dào wàiguó yǐhòu, zìjǐ zhàogùhǎo zìjǐ.

从	cóng	*prep.*

❶ 从这儿向前走，十分钟就到了。 `from`
Cóng zhèr xiàng qián zǒu, shí fēnzhōng jiù dào le.

❷ 我是从上周才开始跑步的。
Wǒ shì cóng shàng zhōu cái kāishǐ pǎobù de.

玩	wán	*v.*

❶ 今天玩儿了一天，累了吗？ `play, have fun`
Jīntiān wánrle yì tiān, lèile ma?

❷ 孩子今天玩儿电脑的时间太长了。
Hāizi jīntiān wánr diànnǎo de shíjiān tài cháng le.

茶	chá	*n.*

❶ 晚上开车，来杯茶吧。 `tea`
Wǎnshang kāichē, lái bēi chá ba.

❷ 我最爱喝茶了，花茶、绿茶、红茶，我都喜欢。
Wǒ zuì ài hē chá le, huāchá, lǜchá, hóngchá, wǒ dōu xǐhuan.

路	lù	*n.*

❶ 我在去火车站的路上。 `road, path`
Wǒ zài qù huǒchēzhàn de lù shang.

❷ 我家离那儿不远，走路十几分钟就到。
Wǒ jiā lí nàr bù yuǎn, zǒulù shíjǐ fēnzhōng jiù dào.

号 hào *m.w. & n.*

❶ 下个月 15 号是我的生日。 date; number
Xià gè yuè shíwǔ hào shì wǒ de shēngrì.

❷ 你知道她的手机号吗？
Nǐ zhīdào tā de shǒujīhào ma?

学生 xuésheng *n.*

❶ 我们学校有两个外国学生。 student
Wǒmen xuéxiào yǒu liǎng gè wàiguó
xuésheng.

❷ 我是张老师的学生。
Wǒ shì Zhāng lǎoshī de xuésheng.

开始 kāishǐ *v.*

❶ 上午的考试是九点开始吗？ begin, start
Shàngwǔ de kǎoshì shì jiǔ diǎn kāishǐ ma?

❷ 比赛马上就要开始了，运动员做好了
准备。
Bǐsài mǎshàng jiù yào kāishǐ le, yùndòngyuán
zuòhǎole zhǔnbèi.

它 tā *pron.*

❶ 猫和我们不同，它们不怕黑。 it
Māo hé wǒmen bùtóng, tāmen bú pà hēi.

❷ 这个湖我来过很多次了，但还不知道它
叫什么湖。
Zhè gè hú wǒ láiguo hěn duō cì le, dàn hái
bù zhīdào tā jiào shénme hú.

一起 yìqǐ *adv.*

together

❶他去年和朋友一起开了个饭馆儿。
Tā qùnián hé péngyou yìqǐ kāile gè fànguǎnr.

❷写完作业我和你一起去游泳吧。
Xiěwán zuòyè wǒ hé nǐ yìqǐ qù yóuyǒng ba.

拿　　ná　v.

❶我帮你拿书包吧。　　take, seize
Wǒ bāng nǐ ná shūbāo ba.

❷明天的比赛你们肯定拿第一。
Míngtiān de bǐsài nǐmen kěndìng ná dì-yī.

看见　　kànjiàn　v.

❶我昨天下午看见小王了。　catch sight of, see
Wǒ zuótiān xiàwǔ kànjiàn Xiǎo Wáng le.

❷我看见她买电脑了。
Wǒ kànjiàn tā mǎi diànnǎo le.

没关系　　méi guānxi

❶没关系，我们上五层　It doesn't matter.
去看看，那儿也有。
Méi guānxi, wǒmen shàng wǔ céng qù
kànkan, nàr yě yǒu.

❷没关系，我很快就做完了。
Méi guānxi, wǒ hěn kuài jiù zuòwán le.

热　　rè　adj.

❶北京的春天不冷也不热。　hot
Běijīng de chūntiān bù lěng yě bú rè.

❷服务员，我要一杯热牛奶。
Fúwùyuán, wǒ yào yì bēi rè niúnǎi.

水果　　shuǐguǒ　　*n.*

❶ 多吃水果对身体有好处。　　fruit
Duō chī shuǐguǒ duì shēntǐ yǒu hǎochu.

❷ 我给病人带了些水果。
Wǒ gěi bìngrén dàile xiē shuǐguǒ.

睡觉　　shuìjiào　　*v.*

❶ 奶奶正在睡觉呢。　go to bed, go to sleep
Nǎinai zhèngzài shuìjiào ne.

❷ 别玩儿游戏了，早点儿睡觉吧。
Bié wánr yóuxì le, zǎo diǎnr shuìjiào ba.

电脑　　diànnǎo　　*n.*

❶ 我的电脑在桌子上。　　computer
Wǒ de diànnǎo zài zhuōzi shang.

❷ 这个电脑多少钱？
Zhè gè diànnǎo duōshao qián?

比　　bǐ　　*prep.*

❶ 我觉得那件黑的比这件好。　　than
Wǒ juéde nà jiàn hēide bǐ zhè jiàn hǎo.

❷ 他比我大一岁。Tā bǐ wǒ dà yí suì.

非常　　fēicháng　　*adv.*

❶ 那儿非常冷，比长春冷　　very, extremly
多了。
Nàr fēicháng lěng, bǐ Chángchūn lěng duō
le.

❷ 我觉得写得非常好，我很喜欢。
Wǒ juéde xiě de fēicháng hǎo, wǒ hěn
xǐhuan.

孩子 háizi *n.*

child

❶ 她是我妹妹的孩子。
tā shì wǒ mèimei de háizi.

❷ 我姐姐的孩子非常喜欢唱歌。
Wǒ jiějie de háizi fēicháng xǐhuan chànggē.

外 wài *n.*

❶ 谁在门外？是你爸爸回来了？
Shuí zài ménwài? Shì nǐ bàba huílái le?

outside

❷ 这条街上除了有一家超市外，什么都没有。
Zhè tiáo jiē shang chúle yǒu yì jiā chāoshì wài, shénme dōu méiyǒu.

猫 māo *n.*

❶ 小猫爱吃鱼。Xiǎomāo ài chī yú.

cat

❷ 我家的猫是黑色的。
Wǒ jiā de māo shì hēisè de.

医生 yīshēng *n.*

❶ 我爸爸是医生。
Wǒ bàba shì yīshēng.

doctor

❷ 医生说这种药一天吃两次。
Yīshēng shuō zhè zhǒng yào yì tiān chī liǎng cì.

桌子 zhuōzi *n.*

❶ 这是我新买的桌子。
Zhè shì wǒ xīn mǎi de zhuōzi.

table, desk

❷ 桌子上的这本书是谁的，你知道吗？
Zhuōzi shang de zhè běn shū shì shuí de, nǐ zhīdào ma?

字　　zì　　*n.*

❶ 老师，这个字我不会写。 character, word
Lǎoshī, zhè gè zì wǒ bú huì xiě.

❷ 这个字写错了。
Zhè gè zì xiěcuò le.

意思　　yìsi　　*n.*

❶ 我明白你的意思了。 meaning
Wǒ míngbai nǐ de yìsi le.

❷ 衣服上的那个词是什么意思？
Yīfu shang de nà gè cí shì shénme yìsi?

爸爸　　bàba　　*n.*

❶ 我爸爸是老师。 father, dad
Wǒ bàba shì lǎoshī.

❷ 爸爸，下大雨了，我们怎么回家？
Bàba, xià dàyǔ le, wǒmen zěnme huíjiā?

汉语　　Hànyǔ　　*n.*

❶ 我学汉语三年了。 Chinese language
Wǒ xué Hànyǔ sān nián le.

❷ 他们都喜欢学汉语。
Tāmen dōu xǐhuan xué Hànyǔ.

医院　　yīyuàn　　*n.*

❶ 我们应该每年都去医院做一次 hospital
体检。
Wǒmen yīnggāi měi nián dōu qù yīyuàn zuò
yí cì tǐjiǎn.

❷ 听说她孩子生病了，她去医院了。
Tīngshuō tā háizi shēngbìng le, tā qù yīyuàn le.

上午　　shàngwǔ　　n.

morning

❶ 我们部门明天上午开会。
Wǒmen bùmén míngtiān shàngwǔ kāihuì.

❷ 我上午看见你姐姐了，她在商店买东西。
Wǒ shàngwǔ kànjiàn nǐ jiějie le, tā zài shāngdiàn mǎi dōngxi.

下雨　　xiàyǔ　　v.

rain

❶ 那里很多年没下雨了。
Nàli hěn duō nián méi xiàyǔ le.

❷ 下雨了，你怎么回家？
Xiàyǔ le, nǐ zěnme huí jiā?

先生　　xiānsheng　　n.

Mister (Mr.), husband

❶ 李先生在商店买东西呢。
Lǐ xiānsheng zài shāngdiàn mǎi dōngxi ne.

❷ 先生，您的车修好了。
Xiānsheng, nín de chē xiūhǎo le.

小姐　　xiáojiě　　n.

Miss, young lady

❶ 我昨天下午看见王小姐了。
Wǒ zuótiān xiàwǔ kànjiàn Wáng xiáojiě le.

❷ 小姐，请这边走。
Xiáojiě, qǐng zhèbian zǒu.

椅子　　yǐzi　　n.

chair

❶ 椅子上的衣服是谁的？
Yǐzi shang de yīfu shì shuí de?

❷ 这些桌子、椅子都很新。
Zhèxiē zhuōzi, yǐzi dōu hěn xīn.

超高频

生日 shēngrì *n.*

❶下个月 15 号是老师的生日。 `birthday`
Xià gè yuè shíwǔ hào shì lǎoshī de shēngrì.

❷祝你生日快乐！
Zhù nǐ shēngrì kuàilè！

休息 xiūxi *v.*

❶生病了要注意休息，因为 `have a rest`
身体最重要。
Shēngbìngle yào zhùyì xiūxi, yīnwèi shēntǐ zuì
zhòngyào.

❷你都累一天了，早点儿休息吧。
Nǐ dōu lèi yì tiān le, zǎo diǎnr xiūxi ba.

啊 a *interj.*

(used at the end of a sentence, showing affirma-
tion, approval, or consent)

❶她的歌声多好听啊！
Tā de gēshēng duō hǎotīng a!

❷办公室的灯怎么没关啊？
Bàngōngshì de dēng zěnme méi guān a?

离 lí *v.*

❶机场离这儿远吗？ `be away from`
Jīchǎng lí zhèr yuǎn ma?

❷我家离学校很近。
Wǒ jiā lí xuéxiào hěn jìn.

准备 zhǔnbèi *v.*

❶我给大家准备了茶和点心，你 `prepare`
来吃点儿吧。

Wǒ gěi dàjiā zhǔnbèile chá hé diǎnxin, nǐ lái
chī diǎnr ba.

❷我准备上午去博物馆看看。
Wǒ zhǔnbèi shàngwǔ qù bówùguǎn kànkan.

飞机 fēijī *n.*

❶他不想坐火车，他想坐飞机去。 **airplane**
Tā bù xiǎng zuò huǒchē, tā xiǎng zuò fēijī qù.

❷王经理，您下飞机了吧?
Wáng jīnglǐ, nín xià fēijī le ba?

事情 shìqing *n.*

❶什么事情这么着急? **affair, thing, business**
Shénme shìqing zhème zháojí?

❷老师有事情找我，再见。
Lǎoshī yǒu shìqing zhǎo wǒ, zàijiàn.

电视 diànshì *n.*

❶他在家里看了一下午电视。 **television, TV**
Tā zài jiā li kànle yí xiàwǔ diànshì.

❷我家买了一台新电视。
Wǒ jiā mǎile yì tái xīn diànshì.

六 liù *num.*

❶他来西安六年了。 **six**
Tā lái Xī'ān liù nián le.

❷我买了六个苹果。 Wǒ mǎile liù gè píngguǒ.

苹果 píngguǒ *n.*

❶我最爱吃苹果。 **apple**
Wǒ zuì ài chī píngguǒ.

❷我家有一棵苹果树。
Wǒ jiā yǒu yì kē píngguǒshù.

再见　　zàijiàn　　v.

❶我们半小时后回来，再见。　say goodbye
Wǒmen bàn xiǎoshí hòu huílái, zàijiàn.

❷爸爸，我去上班了，再见。
Bàba, wǒ qù shàngbān le, zàijiàn.

手机　　shǒujī　　n.

❶你知道她的手机号吗？　cell phone
Nǐ zhīdào tā de shǒujīhào ma?

❷这个手机是她送给你的。
Zhè gè shǒujī shì tā sònggěi nǐ de.

晚上　　wǎnshang　　n.

❶她今天晚上有个约会。　evening, night
Tā jīntiān wǎnshang yǒu gè yuēhuì.

❷你晚上想吃什么？
Nǐ wǎnshang xiǎng chī shénme?

条　　tiáo　　m.w.

(measure word for long thin things, like ribbon, river, road, trousers, etc.)

❶眼镜店在这条街的东边。
Yǎnjìngdiàn zài zhè tiáo jiē de dōngbian.

❷他家门前有条小河。
Tā jiā ménqián yǒu tiáo xiǎohé.

打电话　　dǎ diànhuà

❶他正在给女朋友打　make a telephone call

电话。

Tā zhèngzài gěi nǚpéngyou dǎ diànhuà.

❷等一会儿开完会我给你打电话。

Děng yíhuìr kāiwán huì wǒ gěi nǐ dǎ diànhuà.

高兴　　gāoxìng　　*adj.*

❶小朋友们今天玩儿得很高兴。　happy, glad

Xiǎopéngyoumen jīntiān wánr de hěn gāoxìng.

❷听到这个消息他很高兴。

Tīngdào zhè gè xiāoxi tā hěn gāoxìng.

四　　sì　　*num.*

❶我们星期四去看电影。　four

Wǒmen xīngqīsì qù kàn diànyǐng.

❷小王怎么还没来，都九点四十了。

Xiǎo Wáng zěnme hái méi lái, dōu jiǔ diǎn sìshí le.

咖啡　　kāfēi　　*n.*

❶他每天下午都要喝咖啡。　coffee

Tā měi tiān xiàwǔ dōu yào hē kāfēi.

❷我开了一家咖啡馆，有空儿过来坐坐。

Wǒ kāile yì jiā kāfēiguǎn, yǒu kòngr guòlái zuòzuo.

门　　mén　　*n.*

❶门上有一张画儿。　gate, door

Mén shang yǒu yì zhāng huàr.

❷太晚了，商店已经关门了。

Tài wǎn le, shāngdiàn yǐjīng guānmén le.

放　fàng　v.

❶ 你把我的那本词典放哪儿了？　put, place
Nǐ bǎ wǒ de nà běn cídiǎn fàng nǎr le?

❷ 我们去放风筝吧。
Wǒmen qù fàng fēngzheng ba.

读　dú　v.

❶ 这个月他读了三本书。　read, study
Zhè gè yuè tā dúle sān běn shū.

❷ 他在南京大学读书。
Tā zài Nánjīng Dàxué dúshū.

商店　shāngdiàn　n.

❶ 下午我去商店，我想买件　store, shop
衣服。
Xiàwǔ wǒ qù shāngdiàn, wǒ xiǎng mǎi jiàn
yīfu.

❷ 我开了一家小商店。
Wǒ kāile yì jiā xiǎo shāngdiàn.

大家　dàjiā　n.

❶ 大家都喜欢这个可爱的小宝宝。　everyone
Dàjiā dōu xǐhuan zhè gè kě'ài de xiǎobǎobao.

❷ 我给大家介绍一下，这是我女朋友，高
晴。
Wǒ gěi dàjiā jièshào yíxià, zhè shì wǒ nǚpéngyou,
Gāo Qíng.

房间　fángjiān　n.

❶ 这个房间朝南，很亮。　room
Zhè gè fángjiān cháo nán, hěn liàng.

❷她们两个正在房间里看电视。
Tāmen liǎng gè zhèngzài fángjiān li kàn diànshì.

火车站　　huǒchēzhàn　　*n.*

❶今天我要去火车站接人。　train station
Jīntiān wǒ yào qù huǒchēzhàn jiē rén.

❷火车站就在前面。
Huǒchēzhàn jiù zài qiánmiàn.

出租车　　chūzūchē　　*n.*

❶我今天没开车，坐出租车来的。　taxi
Wǒ jīntiān méi kāichē, zuò chūzūchē lái de.

❷这个时候路上的出租车很少。
Zhè gè shíhou lù shang de chūzūchē hěn shǎo.

七　　qī　　*num.*

❶一个星期有七天。　seven
Yí gè xīngqī yǒu qī tiān.

❷他每天七点上地铁。
Tā měi tiān qī diǎn shàng dìtiě.

忙　　máng　　*adj.*

❶我工作太忙了，没有时间去打球。　busy
Wǒ gōngzuò tài máng le, méiyǒu shíjiān qù dǎqiú.

❷他在机场工作，每天都很忙。
Tā zài jīchǎng gōngzuò, měi tiān dōu hěn máng.

上班　　shàngbān　　*v.*

❶你昨天怎么没来上班？　go to work
Nǐ zuótiān zěnme méi lái shàngbān?

❷第一天上班，我穿这件衣服怎么样？
Dì-yī tiān shàngbān, wǒ chuān zhè jiàn yīfu
zěnmeyàng?

说话　shuōhuà　v.

❶我的孩子刚会说话。　speak, say, talk
Wǒ de háizi gāng huì shuōhuà.

❷他特别爱说话。
Tā tèbié ài shuōhuà.

带　dài　v.

❶昨天的雨下得非常大，幸好　carry, bring
我带伞了。
Zuótiān de yǔ xià de fēicháng dà, xìnghǎo wǒ
dài sǎn le.

❷她忘了带钱。
Tā wàngle dài qián.

更　gèng　adv.

❶为了让自己更健康，他　more, further
每天早上都锻炼身体。
Wèile ràng zìjǐ gèng jiànkāng, tā měi tiān
zǎoshang dōu duànliàn shēntǐ.

❷祝你在新的一年里工作更上一层楼。
Zhù nǐ zài xīn de yì nián li gōngzuò gèng
shàng yì céng lóu.

用　yòng　v.

❶现在人们已经习惯用电脑来学习　use
和工作了。
Xiànzài rénmen yǐjīng xíguàn yòng diànnǎo
lái xuéxí hé gōngzuò le.

❷请用这个词造句。

Qǐng yòng zhè gè cí zàojù.

八　　bā　　*num.*

❶我买的机票是八月五号的。 eight

Wǒ mǎi de jīpiào shì bāyuè wǔ hào de.

❷我在这里住了八年了。

Wǒ zài zhèlǐ zhùle bā nián le.

喂　　wèi　　*interj.*

❶喂，你好！ hello, hey

Wèi, nǐ hǎo !

❷喂，不要玩游戏了，开始工作吧。

Wèi, búyào wán yóuxì le, kāishǐ gōngzuò ba.

好吃　　hǎochī　　*adj.*

❶今天的菜真好吃。 tasty, delicious

Jīntiān de cài zhēn hǎochī.

❷他们家的蛋糕好吃极了。

Tāmen jiā de dàngāo hǎochī jí le.

身体　　shēntǐ　　*n.*

❶你正在长身体，多吃点儿。 body, health

Nǐ zhèngzài zhǎng shēntǐ, duō chī diǎnr.

❷他经常锻炼，所以身体很好。

Tā jīngcháng duànliàn, suǒyǐ shēntǐ hěn hǎo.

早上　　zǎoshang　　*n.*

❶妈妈让他每天早上起床后喝 morning
一杯水。

Māma ràng tā měi tiān zǎoshang qǐchuáng

hòu hē yì bēi shuǐ.

❷ 明天早上和我去锻炼吧。

Míngtiān zǎoshang hé wǒ qù duànliàn ba.

元　　yuán　　*m.w.*

yuan (Chinese monetary unit)

❶ 那个手机不到两千元。

Nà gè shǒujī bú dào liǎngqiān yuán.

❷ 这个自行车不错，300 元也不贵，我们
就买这个吧。

Zhè gè zìxíngchē búcuò, sānbǎi yuán yě bú
guì, wǒmen jiù mǎi zhè gè ba.

远　　yuǎn　　*adj.*

❶ 不远，步行二十分钟就到了。　far

Bù yuǎn, bùxíng èrshí fēnzhōng jiù dào le.

❷ 机场离这儿很远。

Jīchǎng lí zhèr hěn yuǎn.

还是　　háishi　　*adv.*

❶ 放假后你是回家还是留在这儿　or, still
打工？

Fàngjià hòu nǐ shì huí jiā háishi liú zài zhèr
dǎgōng?

❷ 虽然学习很忙，但我每天还是会找时间
去锻炼身体。

Suīrán xuéxí hěn máng, dàn wǒ měi tiān
háishi huì zhǎo shíjiān qù duànliàn shēntǐ.

狗　　gǒu　　*n.*

❶ 我家的小狗很可爱。　dog

Wǒ jiā de xiǎogǒu hěn kě'ài.

❷他很喜欢小狗。Tā hěn xǐhuan xiǎogǒu.

中午　　zhōngwǔ　　n.

❶中午我一般在食堂吃饭。　　noon
Zhōngwǔ wǒ yìbān zài shítáng chīfàn.

❷你中午睡觉吗？Nǐ zhōngwǔ shuìjiào ma?

票　　piào　　n.

❶火车票卖完了。　　ticket
Huǒchēpiào màiwán le.

❷你好，七点半的电影票还有吗？
Nǐ hǎo, qī diǎn bàn de diànyǐngpiào hái yǒu ma?

希望　　xīwàng　　v. & n.

❶希望这次你能取得好成绩。　wish for; hope
Xīwàng zhè cì nǐ néng qǔdé hǎo chéngjì.

❷儿童是国家的希望。
Értóng shì guójiā de xīwàng.

姓　　xìng　　n.

❶您好，我姓张，您贵姓？　family name
Nín hǎo, wǒ xìng Zhāng, nín guìxìng?

❷中国人的名字是姓在名的前面。
Zhōngguórén de míngzi shì xìng zài míng de qiánmiàn.

先　　xiān　　adv.

❶明天早上我先去医院，　first, in advance
然后再去找你。
Míngtiān zǎoshang wǒ xiān qù yīyuàn, ránhòu zài qù zhǎo nǐ.

❷我们先想想再决定。
Wǒmen xiān xiǎngxiang zài juédìng.

报纸　bàozhǐ　n.

❶她每天早上都看报纸。　newspaper
Tā měi tiān zǎoshang dōu kàn bàozhǐ.

❷我订了三种报纸。
Wǒ dìngle sān zhǒng bàozhǐ.

前面　qiánmiàn　n.

❶大楼前面是一片草地。　front
Dàlóu qiánmiàn shì yí piàn cǎodì.

❷他个子小，站在队伍的最前面。
Tā gèzi xiǎo, zhàn zài duìwu de zuì qiánmiàn.

第一　dì-yī　n. & num.

❶弟弟今天跑了个第一，　number one; first
他非常高兴。
Dìdi jīntiān pǎole gè dì-yī, tā fēicháng
gāoxìng.

❷这是我第一次做饭。
Zhè shì wǒ dì-yī cì zuò fàn.

贵　guì　adj.

❶这件衣服虽然比较贵，但穿　expensive
着很舒服。
Zhè jiàn yīfu suīrán bǐjiào guì, dàn chuānzhe
hěn shūfu.

❷太贵了，便宜点儿吧。
Tài guì le, piányi diǎnr ba.

题 tí *n.*

❶ 这道题太难了，我不会做。 `question`
Zhè dào tí tài nán le, wǒ bú huì zuò.

❷ 这些题你今天能做完吗？
Zhèxiē tí nǐ jīntiān néng zuòwán ma?

妈妈 māma *n.*

❶ 我妈妈在医院上班。 `mommy, mother`
Wǒ māma zài yīyuàn shàngbān.

❷ 妈妈，你感冒好了吗？
Māma, nǐ gǎnmào hǎole ma?

错 cuò *adj.*

❶ 对不起，我错了。 `wrong`
Duìbuqǐ, wǒ cuò le.

❷ 这道题我做错了。
Zhè dào tí wǒ zuòcuò le.

累 lèi *adj.*

❶ 他最近很忙，每天都很累。 `tired, weary`
Tā zuìjìn hěn máng, měi tiān dōu hěn lèi.

❷ 走了一天，累坏了。
Zǒule yì tiān, lèihuài le.

笑 xiào *v.*

❶ 服务员笑着说："欢迎光临。" `laugh, smile`
Fúwùyuán xiàozhe shuō: "Huānyíng guānglín."

❷ 我们应该常笑，这样才能使自己年轻。
Wǒmen yīnggāi cháng xiào, zhèyàng cái
néng shǐ zìjǐ niánqīng.

九　jiǔ　*num.*

❶ 我儿子今年九岁了。　nine
Wǒ érzi jīnnián jiǔ suì le.

❷ 已经九点了，快起床吧。
Yǐjīng jiǔ diǎn le, kuài qǐchuáng ba.

妹妹　mèimei　*n.*

❶ 妹妹喜欢唱歌。　younger sister
Mèimei xǐhuan chànggē.

❷ 我妹妹上幼儿园了。
Wǒ mèimei shàng yòu'éryuán le.

弟弟　dìdi　*n.*

❶ 我弟弟在上海大学读书。　younger brother
Wǒ dìdi zài Shànghǎi Dàxué dúshū.

❷ 弟弟在听音乐，他听不见你说话。
Dìdi zài tīng yīnyuè, tā tīngbujiàn nǐ shuōhuà.

课　kè　*n.*

❶ 我喜欢汉语课、历史课、　subject, class
音乐课，不喜欢数学课。
Wǒ xǐhuan Hànyǔkè, lìshǐkè, yīnyuèkè, bù
xǐhuan shùxuékè.

❷ 因为王老师生病了，所以这几天不能给
大家上课了。
Yīnwèi Wáng lǎoshī shēngbìng le, suǒyǐ zhè jǐ
tiān bù néng gěi dàjiā shàngkè le.

便宜　piányi　*adj.*

❶ 这件衣服五十块，真便宜。　cheap
Zhè jiàn yīfu wǔshí kuài, zhēn piányi.

❷那家超市的蔬菜又新鲜又便宜。
Nà jiā chāoshì de shūcài yòu xīnxiān yòu piányi.

西瓜　　xīguā　　*n.*

❶弟弟最喜欢吃西瓜了。　　watermelon
Dìdi zuì xǐhuan chī xīguā le.

❷今天买的西瓜真甜，你要不要来一块儿？
Jīntiān mǎide xīguā zhēn tián, nǐ yào bu yào lái yí kuàir?

快乐　　kuàilè　　*adj.*

❶生日快乐！这是送给你的　　happy, merry
礼物。
Shēngrì kuàilè! Zhè shì sònggěi nǐ de lǐwù.

❷那天的晚会让他很快乐。
Nà tiān de wǎnhuì ràng tā hěn kuàilè.

机场　　jīchǎng　　*n.*

❶我正在去机场的路上。　　airport
Wǒ zhèngzài qù jīchǎng de lù shang.

❷他要去机场接父母。
Tā yào qù jīchǎng jiē fùmǔ.

考试　　kǎoshì　　*n. & v.*

❶下周有考试，我要　　exam; have an exam
好好准备一下。
Xià zhōu yǒu kǎoshì, wǒ yào hǎohǎo zhǔnbèi yíxià.

❷考试就要开始了，请关闭手机。
Kǎoshì jiù yào kāishǐ le, qǐng guānbì shǒujī.

旅游 lǚyóu v. travel, tour

❶我希望今年能去英国旅游。
Wǒ xīwàng jīnnián néng qù Yīngguó lǚyóu.

❷我喜欢旅游，去过很多地方。
Wǒ xǐhuan lǚyóu, qùguo hěn duō dìfang.

刚才 gāngcái n. just now, a moment ago

❶刚才天气多好啊，突然就下雨了。
Gāngcái tiānqì duō hǎo a, tūrán jiù xiàyǔ le.

❷刚才我在商店碰见他了。
Gāngcái wǒ zài shāngdiàn pèngjiàn tā le.

为 wèi prep. for

❶他说很高兴为大家服务。
Tā shuō hěn gāoxìng wèi dàjiā fúwù.

❷弟弟考上了大学，我真为他高兴！
Dìdi kǎoshàngle dàxué, wǒ zhēn wèi tā gāoxìng !

名字 míngzi n. name

❶请在这儿写下你的名字。
Qǐng zài zhèr xiěxià nǐ de míngzi.

❷歌的名字是《茉莉花》。
Gē de míngzi shì《 Mòlìhuā》.

黑 hēi adj. black, dark

❶天黑了，路上小心。
Tiān hēi le, lù shang xiǎoxīn.

❷他穿黑色的衣服很帅。
Tā chuān hēisè de yīfu hěn shuài.

近　　jìn　　*adj.*

❶我也希望能住得离公司近　　near, close to
点儿。
Wǒ yě xīwàng néng zhù de lí gōngsī jìn diǎnr.

❷火车站离这儿非常近。
Huǒchēzhàn lí zhèr fēicháng jìn.

卖　　mài　　*v.*

❶那个电脑卖多少钱?　　sell
Nà gè diànnǎo mài duōshao qián?

❷这个椅子卖一千四,不是一百四。
Zhè gè yǐzi mài yìqiān sì, bú shì yìbǎi sì.

去年　　qùnián　　*n.*

❶今年 6 月,我和丈夫去中国　　last year
旅游了。
Jīnnián liù yuè, wǒ hé zhàngfu qù Zhōngguó
lǚyóu le.

❷上海今年比去年冷。
Shànghǎi jīnnián bǐ qùnián lěng.

手表　　shǒubiǎo　　*n.*

❶这是男朋友送给我的手表,　　wrist watch
很漂亮吧?
Zhè shì nánpéngyou sònggěi wǒ de shǒubiǎo,
hěn piàoliang ba?

❷这块儿手表很贵。
Zhè kuàir shǒubiǎo hěn guì.

丈夫　　zhàngfu　　*n.*

❶小王,你丈夫的身体好些了吗? husband

Xiǎo Wáng, nǐ zhàngfu de shēntǐ hǎoxiē le ma?

❷我和我丈夫是一起工作时认识的。
Wǒ hé wǒ zhàngfu shì yìqǐ gōngzuò shí rènshi de.

正在　　zhèngzài　　*adv.*

in the process of (doing something)

❶他正在北京出差。
Tā zhèngzài Běijīng chūchāi.

❷他正在上课。
Tā zhèngzài shàngkè.

米饭　　mǐfàn　　*n.*

❶服务员，再来一碗米饭。　　cooked rice
Fúwùyuán, zài lái yì wǎn mǐfàn.

❷南方人爱吃米饭。
Nánfāngrén ài chī mǐfàn.

介绍　　jièshào　　*v.*

❶我们是经过同学介绍认识的。　introduce
Wǒmen shì jīngguò tóngxué jièshào rènshi de.

❷这本书介绍了很多地方的饮食文化。
Zhè běn shū jièshàole hěn duō dìfang de yǐnshí wénhuà.

零　　líng　　*num.*

❶现在十点零五，我该睡觉了。　　zero
Xiànzài shí diǎn líng wǔ, wǒ gāi shuìjiào le.

❷我二零零九年大学毕业。
Wǒ èr líng líng jiǔ nián dàxué bìyè.

生病 shēngbìng *v.*

❶ 我生病了，在家休息了两天。 `fall ill`
Wǒ shēngbìng le, zài jiā xiūxile liǎng tiān.

❷ 朋友生病了，我去医院看望他。
Péngyou shēngbìng le, wǒ qù yīyuàn kànwàng tā.

小时 xiǎoshí *n.*

❶ 一天有二十四个小时。 `hour`
Yì tiān yǒu èrshí sì gè xiǎoshí.

❷ 他说三点半到，还差半个小时呢，再等等吧。
Tā shuō sān diǎn bàn dào, hái chà bàn gè xiǎoshí ne, zài děngděng ba.

运动 yùndòng *v. & n.*

❶ 他非常喜欢运动。 `do sports; sports`
Tā fēicháng xǐhuan yùndòng.

❷ 他每天都做运动。
Tā měi tiān dōu zuò yùndòng.

一会儿 yíhuìr *adv.*

❶ 等一会儿，比赛马上就结束了。 `a while`
Děng yíhuìr, bǐsài mǎshàng jiù jiéshù le.

❷ 那我去商店买点儿水吧，一会儿看球的时候喝。
Nà wǒ qù shāngdiàn mǎi diànr shuǐ ba, yíhuìr kàn qiú de shíhou hē.

一点儿 yìdiǎnr *m.w. & adv.*

❶ 我儿子刚出生时体重是四 `a little; a bit`

公斤多一点儿。
Wǒ érzi gāng chūshēng shí tǐzhòng shì sì gōngjīn duō yìdiǎnr.

❷你声音大一点儿好吗？我听不清。
Nǐ shēngyīn dà yìdiǎnr hǎo ma? wǒ tīng bu qīng.

慢 màn *adj.* slow

❶天黑了，你开车慢点儿。
Tiān hēi le, nǐ kāichē màn diǎnr.

❷慢慢地，我发现，南京是个不错的地方。
Mànmàn de, wǒ fāxiàn, Nánjīng shì gè búcuò de dìfang.

药 yào *n.* medicine

❶他生病了，吃了药就睡了。
Tā shēngbìng le, chīle yào jiù shuì le.

❷我吃了感冒药，现在好多了。
Wǒ chīle gǎnmàoyào, xiànzài hǎo duō le.

游泳 yóuyǒng *v. & n.* swim; swimming

❶他每天都去游泳馆游泳。
Tā měi tiān dōu qù yóuyǒngguǎn yóuyǒng.

❷我儿子五岁就学会游泳了。
Wǒ érzi wǔ suì jiù xuéhuì yóuyǒng le.

鱼 yú *n.* fish

❶他家在海边，他从小就爱吃鱼。
Tā jiā zài hǎi biān, tā cóngxiǎo jiù ài chī yú.

❷今天的晚餐有鱼，有羊肉，还有鸡蛋。
Jīntiān de wǎncān yǒu yú, yǒu yángròu, hái yǒu jīdàn.

不客气　　bú kèqi

超高频

You're welcome. Don't mention it.

❶ 她笑着说："不客气。"
Tā xiàozhe shuō : "Bú kèqi."

❷ "给我来一杯牛奶吧，谢谢。""不客气。"
"Gěi wǒ lái yì bēi niúnǎi ba, xièxie." "Bú kèqi."

告诉　　gàosu　　v.

❶ 我要告诉你一个
秘密。

tell, inform, let know

Wǒ yào gàosu nǐ yí gè mìmì.

❷ 谢谢你告诉我他的地址。
Xièxie nǐ gàosu wǒ tā de dìzhǐ.

起床　　qǐchuáng　　v.

❶ 我喜欢早上起床后喝一杯水。　get up
Wǒ xǐhuan zǎoshang qǐchuáng hòu hē yì bēi
shuǐ.

❷ 十点了，怎么还不起床？
Shí diǎn le, zěnme hái bù qǐchuáng?

画　　huà　　v. & n.

❶ 我是一个美术老师，　draw; picture, painting
教学生画画儿。
Wǒ shì yí gè měishù lǎoshī, jiāo xuésheng
huàhuàr.

❷ 太阳和月亮是我画的，房子是妹妹画的。
Tàiyáng hé yuèliang shì wǒ huà de, fángzi shì
mèimei huà de.

张　zhāng　*m.w.*

(measure word for flat objects, like sheet)

❶ 我买了两张火车票，打算明天和女朋友
去旅行。
Wǒ mǎile liǎng zhāng huǒchēpiào, dǎsuan
míngtiān hé nǚpéngyou qù lǚxíng.

❷ 这张画是我画的。
Zhè zhāng huà shì wǒ huà de.

白　bái　*adj.*

❶ 这件白衬衫是小王的。　white
Zhè jiàn bái chènshān shì Xiǎo Wáng de.

❷ 白色的羊群在草原上吃草。
Báisè de yángqún zài cǎoyuán shang chī cǎo.

妻子　qīzi　*n.*

❶ 他和妻子是大学同学。　wife
Tā hé qīzi shì dàxué tóngxué.

❷ 妻子这几天很忙，所以我做饭。
Qīzi zhè jǐ tiān hěn máng, suǒyǐ wǒ zuòfàn.

雪　xuě　*n.*

❶ 下雪了，大地白茫茫的。　snow
Xiàxuě le, dàdì báimángmáng de.

❷ 从昨天早上开始，外面就一直在下雪。
Cóng zuótiān zǎoshang kāishǐ, wàimiàn jiù
yìzhí zài xiàxuě.

比较　bǐjiào　*adv.*

❶ 这道题比较简单，哪个　comparatively
同学想回答？

Zhè dào tí bǐjiào jiǎndān, nǎge tóngxué xiǎng huídá?

❷图书馆里比较安静，我喜欢在那儿看书。
Túshūguǎn li bǐjiào ānjìng, wǒ xǐhuan zài nàr kànshū.

地方　　dìfang　　*n.*

❶这两个问题有不同的地方，place, region
但解决方法是一样的。
Zhè liǎng gè wèntí yǒu bùtóng de dìfang, dàn jiějué fāngfǎ shì yíyàng de.

❷我去过中国很多地方，我最喜欢上海。
Wǒ qùguo Zhōngguó hěn duō dìfang, wǒ zuì xǐhuan Shànghǎi.

向　　xiàng　　*prep.*

❶从这儿向东走，很快就能看到　toward
那条河了。
Cóng zhèr xiàng dōng zǒu, hěn kuài jiù néng kàndào nà tiáo hé le.

❷十五层太高了，妈妈可能都不敢向下
看了。
Shíwǔ céng tài gāo le, māma kěnéng dōu bù gǎn xiàngxià kàn le.

牛奶　　niúnǎi　　*n.*

❶我给女儿准备了牛奶和面包。　milk
Wǒ gěi nǚ'ér zhǔnbèile niúnǎi hé miànbāo.

❷他每天睡觉前都要喝一杯牛奶。
Tā měi tiān shuìjiào qián dōu yào hē yì bēi niúnǎi.

分　　fēn　　*num. & m.w.*

minute; 0.01 yuan (unit of money)

❶现在是八点十分。
Xiànzài shì bā diǎn shí fēn.

❷10 个一分是一角，10 个一角是一元。
Shí gè yì fēn shì yì jiǎo, shí gè yì jiǎo shì yì yuán.

以前　　yǐqián　　*n.*

❶我瘦了，以前的衣服都不能穿了。 before
Wǒ shòu le, yǐqián de yīfu dōu bù néng
chuān le.

❷我以前就住这儿附近，每天上班都经过
这儿，去年秋天才搬走的。
Wǒ yǐqián jiù zhù zhèr fùjìn, měi tiān
shàngbān dōu jīngguò zhèr, qùnián qiūtiān
cái bānzǒu de.

应该　　yīnggāi　　*v.*

❶我的孩子今年 7 岁了，该 should, must
上一年级了。
Wǒ de háizi jīnnián qī suì le, gāi shàng yī niánjí le.

❷妈妈，你应该每年去检查一次身体。
Māma, nǐ yīnggāi měi nián qù jiǎnchá yí cì
shēntǐ.

懂　　dǒng　　*v.*

❶爸爸说了这么多，现在 understand, know
你懂了吧?
Bàba shuōle zhème duō, xiànzài nǐ dǒngle
ba?

❷那本书太深奥了，我看不懂。
Nà běn shū tài shēn'ào le, wǒ kàn bu dǒng.

教室 jiàoshì *n.*

❶教室里只有他一个人在学习。 classroom
Jiàoshì li zhǐyǒu tā yí gè rén zài xuéxí.

❷她打扫完教室就去洗澡了。
Tā dǎsǎowán jiàoshì jiù qù xǐzǎo le.

进 jìn *v.*

❶北京队又进了一个球。 enter, come into
Běijīngduì yòu jìnle yí gè qiú.

❷您请进，这就是我的家。
Nín qǐngjìn, zhè jiù shì wǒ de jiā.

旁边 pángbiān *n.*

❶书店在公园旁边。 beside
Shūdiàn zài gōngyuán pángbiān.

❷我家旁边有一条小河。
Wǒ jiā pángbiān yǒu yì tiáo xiǎohé.

跑步 pǎobù *v.*

❶喜欢跑步的人越来越多了。 run
Xǐhuan pǎobù de rén yuèláiyuè duō le.

❷小张每天早上都去公园跑步，锻炼身体。
Xiǎo Zhāng měi tiān zǎoshang dōu qù gōngyuán pǎobù, duànliàn shēntǐ.

颜色 yánsè *n.*

❶我不喜欢这件衣服的颜色。 color
Wǒ bù xǐhuan zhè jiàn yīfu de yánsè.

❷你的杯子是什么颜色的？
Nǐ de bēizi shì shénme yánsè de?

眼睛　　yǎnjing　　*n.*

❶看书的时候，别离书太近，这样　　eye
对眼睛不好。
Kànshū de shíhou, bié lí shū tài jìn, zhèyàng
duì yǎnjing bù hǎo.

❷她的眼睛和鼻子像妈妈。
Tā de yǎnjing hé bízi xiàng māma.

马上　　mǎshàng　　*adv.*

❶商店马上就要关门了。　at once, right away
Shāngdiàn mǎshàng jiù yào guānmén le.

❷比赛马上就要开始了，运动员们都准备
好了。
Bǐsài mǎshàng jiù yào kāishǐ le, yùndòngyuán-
men dōu zhǔnbèi hǎo le.

又　　yòu　　*adv.*

❶她最近经常　(once) again, both... and...
跑步，又瘦了很多。
Tā zuìjìn jīngcháng pǎobù, yòu shòule hěn
duō.

❷他又聪明又可爱，大家都喜欢他。
Tā yòu cōngming yòu kě'ài, dàjiā dōu xǐhuan
tā.

帮助　　bāngzhù　　*v. & n.*

❶别担心，我们都愿意帮助你。　help; help
Bié dānxīn, wǒmen dōu yuànyì bāngzhù nǐ.

❷谢谢大家这段时间对我的关心和帮助。
Xièxie dàjiā zhè duàn shíjiān duì wǒ de
guānxīn hé bāngzhù.

服务员　fúwùyuán　*n.*

❶ 服务员，请再给我拿一个杯子。　waiter, waitress

Fúwùyuán, qǐng zài gěi wǒ ná yí gè bēizi.

❷ 服务员，我想要杯热水，谢谢你。

Fúwùyuán, wǒ xiǎng yào bēi rèshuǐ, xièxie nǐ.

红　hóng　*adj.*

❶ 我买了一辆红色的自行车。　red

Wǒ mǎile yí liàng hóngsè de zìxíngchē.

❷ 弟弟一说谎就脸红。

Dìdi yì shuōhuǎng jiù liǎnhóng.

鸡蛋　jīdàn　*n.*

❶ 妈妈每天早上都给我煮个鸡蛋。　(chicken) egg

Māma měi tiān zǎoshang dōu gěi wǒ zhǔ gè jīdàn.

❷ 鸡蛋比上个月便宜了。

Jīdàn bǐ shàng gè yuè piányi le.

姐姐　jiějie　*n.*

❶ 我姐姐送给我一块手表。　elder sister

Wǒ jiějie sònggěi wǒ yí kuài shǒubiǎo.

❷ 我姐姐的女儿都两岁了。

Wǒ jiějie de nǚ'ér dōu liǎng suì le.

跳舞　tiàowǔ　*v.*

❶ 妹妹从小就喜欢跳舞。　dance

Mèimei cóngxiǎo jiù xǐhuan tiàowǔ.

❷ 她的特长是唱歌和跳舞。

Tā de tècháng shì chànggē hé tiàowǔ.

阴   yīn   *adj.*

❶今天阴天，可能要下雨，`overcast, cloudy`
别出去了。
Jīntiān yīntiān, kěnéng yào xiàyǔ, bié chūqu
le.

❷刚才还是大晴天，怎么突然就阴天了。
Gāngcái hái shì dà qíngtiān, zěnme tūrán jiù
yīntiān le.

半   bàn   *num.*

❶他们已经到宾馆了，半个小时后 `half`
到赛场。
Tāmen yǐjīng dào bīnguǎn le, bàn gè xiǎoshí
hòu dào sàichǎng.

❷经过半年的努力，他的成绩提高了不少。
Jīngguò bàn nián de nǔlì, tā de chéngjì
tígāole bùshǎo.

唱歌   chànggē   *v.*

❶我从小就爱唱歌，长大了想 `sing a song`
当个歌唱家。
Wǒ cóngxiǎo jiù ài chànggē, zhǎngdàle xiǎng
dāng gè gēchàngjiā.

❷明天我们去唱歌怎么样?
Míngtiān wǒmen qù chànggē zěnmeyàng?

晴   qíng   *adj.*

❶明天是个晴天。 `sunny, fine`
Míngtiān shì gè qíngtiān.

❷雨停了，天晴了。Yǔ tíng le, tiān qíng le.

比赛 bǐsài n.

❶ 我喜欢看足球比赛。 competition, match
Wǒ xǐhuan kàn zúqiú bǐsài.

❷ 上个星期学校举行的游泳比赛，你参加
了吗？
Shàng gè xīngqī xuéxiào jǔxíngde yóuyǒng
bǐsài, nǐ cānjiā le ma?

后面 hòumiàn n.

❶ 我比你高，我站在你的 back, behind
后面。
Wǒ bǐ nǐ gāo, wǒ zhàn zài nǐ de hòumiàn.

❷ 我家后面是一条小河。
Wǒ jiā hòumiàn shì yì tiáo xiǎohé.

打篮球 dǎ lánqiú

❶ 他经常打篮球，打得 play basketball
不错。
Tā jīngcháng dǎ lánqiú, dǎ de búcuò.

❷ 他们是打篮球时认识的。
Tāmen shì dǎ lánqiú shí rènshi de.

别人 biéren n.

❶ 他总是认真听取别人的意见。 other people
Tā zǒngshì rènzhēn tīngqǔ biéren de yìjiàn.

❷ 他很热情，总是关心和帮助别人。
Tā hěn rèqíng, zǒngshì guānxīn hé bāngzhù
biéren.

欢迎 huānyíng v.

❶ 非常欢迎你来我们学校工作！ welcome

Fēicháng huānyíng nǐ lái wǒmen xuéxiào
gōngzuò！

❷欢迎光临。Huānyíng guānglín.

像　　xiàng　　*prep.*

❶他不像以前那么爱玩儿了。 like

Tā bú xiàng yǐqián nàme ài wánr le.

❷他长得像妈妈。Tā zhǎng de xiàng māma.

自行车　　zìxíngchē　　*n.*

❶我的自行车很贵。 bicycle, bike

Wǒ de zìxíngchē hěn guì.

❷我每天骑自行车去上班。

Wǒ měi tiān qí zìxíngchē qù shàngbān.

疼　　téng　　*v.*

❶我牙疼，不敢吃硬的东西。 hurt, ache

Wǒ yá téng, bù gǎn chī yìng de dōngxi.

❷我最近经常头疼。

Wǒ zuìjìn jīngcháng tóuténg.

羊肉　yángròu　*n.*

❶ 这儿的羊肉很好吃，而且不贵。　mutton
Zhèr de yángròu hěn hǎochī, érqiě bú guì.

❷ 这家饭馆的羊肉特别有名。
Zhè jiā fànguǎn de yángròu tèbié yǒumíng.

发现　fāxiàn　*v.*

❶ 到了火车站，他才发现　find, discover
自己忘记带火车票了。
Dàole huǒchēzhàn, tā cái fāxiàn zìjǐ wàngjì
dài huǒchēpiào le.

❷ 最近，我发现我儿子对音乐很有兴趣。
Zuìjìn, wǒ fāxiàn wǒ érzi duì yīnyuè hěn yǒu
xìngqù.

附近　fùjìn　*n.*

❶ 听张先生说，他家附近那个　vicinity
宾馆的环境不错。
Tīng Zhāng xiānsheng shuō, tā jiā fùjìn nà gè
bīnguǎn de huánjìng búcuò.

❷ 我家附近有个公园，我每天早上都去
那儿锻炼身体。
Wǒ jiā fùjìn yǒu gè gōngyuán, wǒ měi tiān
zǎoshang dōu qù nàr duànliàn shēntǐ.

跟　gēn　*prep.*

❶ 经过苦苦追求，她终于同意跟我　with

结婚了。
Jīngguò kǔkǔ zhuīqiú, tā zhōngyú tóngyì gēn wǒ jiéhūn le.

❷刚才跟我说话的那位是我的同事。
Gāngcái gēn wǒ shuōhuà de nà wèi shì wǒ de tóngshì.

花　　huā　　v.

❶他每天都花一个小时学汉语。 `spend`
Tā měi tiān dōu huā yí gè xiǎoshí xué Hànyǔ.

❷这次旅游，我一共去了 7 个城市，花了一万多块钱。
Zhè cì lǚyóu, wǒ yígòng qùle qī gè chéngshì, huāle yíwàn duō kuài qián.

回答　　huídá　　v.

❶王小姐正在回答记者的问题。 `reply, answer`
Wáng xiáojiě zhèngzài huídá jìzhě de wèntí.

❷经理马上就回答了这个问题。
Jīnglǐ mǎshàng jiù huídále zhè gè wèntí.

经常　　jīngcháng　　adv.

❶这里的春天经常刮风。 `frequently, often`
Zhèlǐ de chūntiān jīngcháng guāfēng.

❷他经常去参观博物馆。
Tā jīngcháng qù cānguān bówùguǎn.

双　　shuāng　　m.w.

❶你去商店的时候，顺便帮我买双袜子。 `pair`

Nǐ qù shāngdiàn de shíhou, shùnbiàn bāng
wǒ mǎi shuāng wàzi.

❷这双鞋多少钱?
Zhè shuāng xié duōshao qián?

特别　　tèbié　　*adj.*

❶听到这个消息，他特别高兴。　special
Tīngdào zhè gè xiāoxi, tā tèbié gāoxìng.

❷今天没什么特别的新闻。
Jīntiān méi shénme tèbié de xīnwén.

一定　　yídìng　　*adv.*

❶我觉得老王一定会帮助　surely, certainly
我们的。
Wǒ juéde Lǎo Wáng yídìng huì bāngzhù
wǒmen de.

❷我对西藏向往已久，以后有机会我一定
要去那儿旅游。
Wǒ duì Xīzàng xiàngwǎng yǐjiǔ, yǐhòu yǒu
jīhuì wǒ yídìng yào qù nàr lǚyóu.

百　　bǎi　　*num.*

❶你再向北走三百米就能看到了。　hundred
Nǐ zài xiàng běi zǒu sānbǎi mǐ jiù néng
kàndào le.

❷我在网上买了件衬衫，才一百多块钱。
Wǒ zài wǎngshàng mǎile jiàn chènshān, cái
yìbǎi duō kuài qián.

公共汽车　　gōnggòng qìchē　　*n.*

❶从这到学校坐公共汽车要半个小时。　bus

Cóng zhè dào xuéxiào zuò gōnggòng qìchē
yào bàn gè xiǎoshí.

❷ 我明天坐公共汽车去奶奶家。
Wǒ míngtiān zuò gōnggòng qìchē qù nǎinai
jiā.

千　　qiān　　*num.*

❶ 才两千块，就买那个吧。　　thousand
Cái liǎngqiān kuài, jiù mǎi nà gè ba.

❷ 我决定从明天开始每天跑一千米。
Wǒ juédìng cóng míngtiān kāishǐ měi tiān
pǎo yìqiān mǐ.

层　　céng　　*m.w.*

❶ 他的办公室在三层，　　floor (of a building)
三零二。
Tā de bàngōngshì zài sān céng, sān líng èr.

❷ 这辆公共汽车有上下两层，很多人都愿
意坐上边那层，因为坐得高，看得远。
Zhè liàng gōnggòng qìchē yǒu shàngxià
liǎng céng, hěn duō rén dōu yuànyì zuò
shàngbian nà céng, yīnwèi zuò de gāo, kàn
de yuǎn.

换　　huàn　　*v.*

❶ 卧室的灯坏了，我换　　change, exchange
了个新的。
Wòshì de dēng huài le, wǒ huànle gè xīn de.

❷ 这个电脑是我以旧换新的。
Zhè gè diànnǎo shì wǒ yǐjiùhuànxīn mǎi de.

如果 rúguǒ *conj.*

❶如果你考了第一名，我就送你一个 `if`
照相机。
Rúguǒ nǐ kǎole dì-yī míng, wǒ jiù sòng nǐ yí
gè zhàoxiàngjī.

❷如果你没意见的话，那就这么决定了。
Rúguǒ nǐ méi yìjiàn dehuà, nà jiù zhème
juédìng le.

习惯 xíguàn *n.*

❶玛丽还不习惯用筷子吃饭。 `habit, custom`
Mǎlì hái bù xíguàn yòng kuàizi chīfàn.

❷我一直保持早睡早起的好习惯。
Wǒ yìzhí bǎochí zǎo shuì zǎo qǐ de hǎo
xíguàn.

需要 xūyào *v.*

❶从这儿到动物园需要多长 `need, want`
时间？
Cóng zhèr dào dòngwùyuán xūyào duō
cháng shíjiān?

❷我们需要三天时间来完成这项工作。
Wǒmen xūyào sān tiān shíjiān lái wánchéng
zhè xiàng gōngzuò.

杯子 bēizi *n.*

❶这个杯子是男朋友送给我的。 `cup, glass`
Zhè gè bēizi shì nánpéngyou sònggěi wǒ de.

❷这个杯子真漂亮，谢谢你。
Zhè gè bēizi zhēn piàoliang, xièxie nǐ.

打算 dǎsuan *v.*

❶弟弟打算下个星期去旅行。 `plan, intend`
Dìdi dǎsuan xià gè xīngqī qù lǚxíng.

❷到北京后你有什么打算？
Dào Běijīng hòu nǐ yǒu shénme dǎsuan?

坏 huài *adj.*

❶我客厅里的灯坏了，我 `broken, awful`
要换个新的。
Wǒ kètīng li de dēng huài le, wǒ yào huàn gè
xīn de.

❷今天一天没吃饭了，可把我饿坏了。
Jīntiān yì tiān méi chīfàn le, kě bǎ wǒ èhuài le.

南 nán *n.*

❶我喜欢南方那些古老的小镇。 `south`
Wǒ xǐhuan nánfāng nàxiē gǔlǎo de xiǎozhèn.

❷在中国，南方和北方很多饮食习惯都不
一样。
Zài Zhōngguó, nánfāng hé běifāng hěn duō
yǐnshí xíguàn dōu bù yíyàng.

一样 yíyàng *adj.*

❶这两个问题看似一样，其实不 `same`
一样。
Zhè liǎng gè wèntí kànsì yíyàng, qíshí bù
yíyàng.

❷你跟小时候一样，没什么变化。
Nǐ gēn xiǎo shíhou yíyàng, méi shénme
biànhuà.

踢足球　tī zúqiú

❶哥哥喜欢踢足球，　play soccer (football)
是学校足球队的队长。

Gēge xǐhuan tī zúqiú, shì xuéxiào zúqiúduì de duìzhǎng.

❷我每天下午都去操场踢足球。

Wǒ měi tiān xiàwǔ dōu qù cāochǎng tī zúqiú.

参加　cānjiā　v.

❶你参加明天的会议　participate, take part in
吗？

Nǐ cānjiā míngtiān de huìyì ma?

❷我弟弟是零七年参加工作的，他一开始
是中学老师，现在是一家公司的经理。

Wǒ dìdi shì líng qī nián cānjiā gōngzuò de, tā yì kāishǐ shì zhōngxué lǎoshī, xiànzài shì yì jiā gōngsī de jīnglǐ.

记得　jìde　v.

❶一会儿你离开的时候记得　remember
关空调。

Yíhuìr nǐ líkāi de shíhou jìde guān kōngtiáo.

❷我记得白老师的办公室在五层。

Wǒ jìde Bái lǎoshī de bàngōngshì zài wǔ céng.

借　jiè　v.

❶上周，我从学校图书馆借　borrow, lend
了五本书。

Shàng zhōu, wǒ cóng xuéxiào túshūguǎn jièle wǔ běn shū.

❷向先生借给我三千块钱。

Xiàng xiānsheng jiègěi wǒ sānqiān kuài qián.

周末 zhōumò *n.*

❶ 我的几个同事周末想自己开车 weekend
去北京玩儿。
Wǒ de jǐ gè tóngshì zhōumò xiǎng zìjǐ kāichē
qù Běijīng wánr.

❷ 他这个周末去看篮球比赛。
Tā zhè gè zhōumò qù kàn lánqiú bǐsài.

最近 zuìjìn *adv.*

❶ 最近他的心情不太好。 recently
Zuìjìn tā de xīnqíng bú tài hǎo.

❷ 我最近总是牙疼，我打算中午去医院检
查一下。
Wǒ zuìjìn zǒngshì yáténg, wǒ dǎsuan zhōngwǔ
qù yīyuàn jiǎnchá yíxià.

虽然……但是…… suīrán…dànshì…

❶ 现在虽然已经进入春天了，但 although
是天气还比较冷。
Xiànzài suīrán yǐjīng jìnrù chūntiān le, dànshì
tiānqì hái bǐjiào lěng.

❷ 饭店里虽然人很多，但是非常安静。
Fàndiàn lǐ suīrán rén hěn duō, dànshì fēicháng
ānjìng.

蛋糕 dàngāo *n.*

❶ 我送给她一个生日蛋糕。 cake
Wǒ sònggěi tā yí gè shēngrì dàngāo.

❷ 妈妈做了一个漂亮的蛋糕。
Māma zuòle yí gè piàoliang de dàngāo.

| 方便 | fāngbiàn | *adj.* |

❶那家宾馆环境还可以，而且 convenient 就在机场旁边，坐车很方便。
Nà jiā bīnguǎn huánjìng hái kěyǐ, érqiě jiù zài jīchǎng pángbiān, zuò chē hěn fāngbiàn.

❷从这儿到公共汽车站很方便，走路只需要几分钟。
Cóng zhèr dào gōnggòng qìchēzhàn hěn fāngbiàn, zǒulù zhǐ xūyào jǐ fēnzhōng.

| 或者 | huòzhě | *conj.* |

❶我想去美国或者英国留学。 or
Wǒ xiǎng qù Měiguó huòzhě Yīngguó liúxué.

❷这不是打电话或者写电子邮件就能解决的问题，我们还是见面说吧。
Zhè bú shì dǎ diànhuà huòzhě xiě diànzǐ yóujiàn jiù néng jiějué de wèntí, wǒmen háishi jiànmiàn shuō ba.

| 邻居 | línjū | *n.* |

❶我的邻居是医生。 neighbor
Wǒ de línjū shì yīshēng.

❷那是我邻居家的孩子，今年9岁，上三年级。
Nà shì wǒ línjū jiā de háizi, jīnnián jiǔ suì, shàng sān niánjí.

| 楼 | lóu | *n.* |

❶我们学校新建了一 storied building, floor 座教学楼。
Wǒmen xuéxiào xīn jiànle yí zuò jiàoxuélóu.

❷王经理是第一次来，你下楼去接他吧。
Wáng jīnglǐ shì dì-yī cì lái, nǐ xiàlóu qù jiē tā ba.

年轻　niánqīng　*adj.*

❶年轻人应该多出去看看世界。　young
Niánqīngrén yīnggāi duō chūqu kànkan shìjiè.

❷这位工程师很年轻。
Zhè wèi gōngchéngshī hěn niánqīng.

舒服　shūfu　*adj.*

❶这件衣服很合适，很舒服。　comfortable
Zhè jiàn yīfu hěn héshì, hěn shūfu.

❷这双鞋穿着很舒服，就买这双吧。
Zhè shuāng xié chuānzhe hěn shūfu, jiù mǎi zhè shuāng ba.

站　zhàn　*v.*

❶小王站在大楼门口等女朋友下班。　stand
Xiǎo Wáng zhàn zài dàlóu ménkǒu děng nǚpéngyou xiàbān.

❷小雪，你站爸爸和妈妈中间，让哥哥站后面。
Xiǎoxuě, nǐ zhàn bàba hé māma zhōngjiān, ràng gēge zhàn hòumiàn.

宾馆　bīnguǎn　*n.*

❶王小姐对这个宾馆的　hotel, guesthouse
服务很满意。
Wáng xiáojiě duì zhè gè bīnguǎn de fúwù

hěn mǎnyì.

❷那家宾馆环境还不错。
Nà jiā bīnguǎn huánjìng hái búcuò.

右边 yòubian _n._

❶右边那个电脑是我的。 `right side`
Yòubian nà gè diànnǎo shì wǒ de.

❷哥哥站在左边，弟弟站在右边。
Gēge zhànzài zuǒbian, dìdi zhànzài yòubian.

超市 chāoshì _n._

❶他去超市买点儿东西，可能 `supermarket`
半小时就回来了。
Tā qù chāoshì mǎi diǎnr dōngxi, kěnéng bàn
xiǎoshí jiù huílái le.

❷那家超市的水果又便宜又新鲜。
Nà jiā chāoshì de shuǐguǒ yòu piányi yòu
xīnxiān.

公园 gōngyuán _n._

❶我们家旁边有个公园，我每天早上 `park`
都去那儿锻炼身体。
Wǒmen jiā pángbiān yǒu gè gōngyuán,
wǒ měi tiān zǎoshang dōu qù nàr duànliàn
shēntǐ.

❷我家就在这个公园的对面。
Wǒ jiā jiù zài zhè gè gōngyuán de duìmiàn.

会议 huìyì _n._

❶这个会议非常重要， `meeting, conference`
你还是去参加吧。

Zhè gè huìyì fēicháng zhòngyào, nǐ háishi qù cānjiā ba.

❷会议几点开始？ Huìyì jǐ diǎn kāishǐ?

经理　　jīnglǐ　　n.

❶经理很关心员工的生活。　　manager
Jīnglǐ hěn guānxīn yuángōng de shēnghuó.

❷经理，这个生日蛋糕是我们送给您的，祝您生日快乐！
Jīnglǐ, zhè gè shēngrì dàngāo shì wǒmen sònggěi nín de, zhù nín shēngrì kuàilè !

历史　　lìshǐ　　n.

❶中国历史悠久，地大物博。　　history
Zhōngguó lìshǐ yōujiǔ, dìdà-wùbó.

❷这个寺庙有很长的历史。
Zhè gè sìmiào yǒu hěn cháng de lìshǐ.

米　　mǐ　　m.w.

❶他身高一米六。　　meter
Tā shēngāo yì mǐ liù.

❷我每天早上都跑两千米。
Wǒ měi tiān zǎoshang dōu pǎo liǎngqiān mǐ.

明白　　míngbai　　v.

❶我明白是怎么回事了。　　understand, realize
Wǒ míngbai shì zěnme huí shì le.

❷这个道理我现在才明白。
Zhè gè dàolǐ wǒ xiànzài cái míngbai.

胖 pàng *adj.*

❶ 这个小孩儿胖胖的，真可爱。 `fat`
Zhè gè xiǎoháir pàngpàng de, zhēn kě'ài.

❷ 女孩子都怕胖，不敢多吃甜食。
Nǚháizi dōu pà pàng, bù gǎn duō chī tiánshí.

一直 yìzhí *adv.*

❶ 她一直保持着锻炼身体 `always, all along`
的好习惯。
Tā yìzhí bǎochízhe duànliàn shēntǐ de hǎo
xíguàn.

❷ 下班时，公共汽车上人很多，她一直
站着。
Xiàbān shí, gōnggòng qìchē shang rén hěn
duō, tā yìzhí zhànzhe.

哥哥 gēge *n.*

❶ 哥哥在房间里睡觉呢。 `elder brother`
Gēge zài fángjiān li shuìjiào ne.

❷ 我哥哥很照顾我。
Wǒ gēge hěn zhàogù wǒ.

迟到 chídào *v.*

❶ 你今天早上怎么又迟到了？ `be late`
Nǐ jīntiān zǎoshang zěnme yòu chídào le?

❷ 小张最近经常迟到。
Xiǎo Zhāng zuìjìn jīngcháng chídào.

船 chuán *n.*

❶ 河边有一条小船。 `boat, ship`
Hébiān yǒu yì tiáo xiǎochuán.

❷船票我帮你买好了，明天晚上的。
Chuánpiào wǒ bāng nǐ mǎihǎo le, míngtiān wǎnshang de.

当然 dāngrán *adv.*

❶你们这么多年没见面，当然会觉得变化大。 certainly, of course
Nǐmen zhème duō nián méi jiànmiàn, dāngrán huì juéde biànhuà dà.

❷你好，我能用下你的笔吗？当然可以。
Nǐ hǎo, wǒ néng yòng xià nǐ de bǐ ma? Dāngrán kěyǐ.

简单 jiǎndān *adj.*

❶这次考试题很简单。 simple, easy
Zhè cì kǎoshìtí hěn jiǎndān.

❷请你给我简单介绍一下这里的情况。
Qǐng nǐ gěi wǒ jiǎndān jièshào yíxià zhèlǐ de qíngkuàng.

客人 kèrén *n.*

❶有位客人的钱包忘在那儿了。 customer, guest
Yǒu wèi kèrén de qiánbāo wàng zài nàr le.

❷我今天下午要去机场接客人。
Wǒ jīntiān xiàwǔ yào qù jīchǎng jiē kèrén.

爬山 páshān *v.*

❶下个星期日我准备去爬山。 climb a mountain
Xià gè xīngqīrì wǒ zhǔnbèi qù páshān.

❷我喜欢爬山。
Wǒ xǐhuan páshān.

数学　　shùxué　　*n.*

❶他是北京大学数学系的 `mathematics`
老师。
Tā shì Běijīng Dàxué Shùxué Xì de lǎoshī.

❷我的数学不太好，你能教教我吗?
Wǒ de shùxué bú tài hǎo, nǐ néng jiāojiao wǒ
ma?

一般　　yìbān　　*adj.*

❶我学习汉语半年了， `ordinary, general`
水平一般。
Wǒ xuéxí Hànyǔ bàn nián le, shuǐpíng yìbān.

❷下午，我一般在图书馆看书。
Xiàwǔ, wǒ yìbān zài túshūguǎn kànshū.

着急　　zháojí　　*v.*

❶他着急去见 `be in a hurry, feel anxious`
女朋友，还没下班就走了。
Tā zháojí qù jiàn nǚpéngyou, háiméi xiàbān
jiù zǒu le.

❷不着急，才八点零五，还有时间。
Bù zháojí, cái bā diǎn líng wǔ, hái yǒu
shíjiān.

照片　　zhàopiàn　　*n.*

❶你这张照片看上去跟 `photo, photograph`
现在不太一样。
Nǐ zhè zhāng zhàopiàn kàn shàngqu gēn

xiànzài bú tài yíyàng.

❷ 照片上的这个人是你妈妈？真瘦啊。
Zhàopiàn shang de zhè gè rén shì nǐ māma?
Zhēn shòu a.

左边 zuǒbian *n.*

❶ 我更喜欢左边这幅画。 `left side`
Wǒ gèng xǐhuan zuǒbian zhè fú huà.

❷ 左边短头发那个是我妹妹。
Zuǒbian duǎn tóufa nà gè shì wǒ mèimei.

衬衫 chènshān *n.*

❶ 妈妈送给我一件衬衫。 `shirt`
Māma sònggěi wǒ yí jiàn chènshān.

❷ 我昨天买了一件漂亮的衬衫。
Wǒ zuótiān mǎile yí jiàn piāoliang de
chènshān.

冬 dōng *n.*

❶ 冬天来了，好冷啊。 `winter`
Dōngtiān lái le, hǎo lěng a.

❷ 上海一年有春、夏、秋、冬四个季节。
Shànghǎi yì nián yǒu chūn, xià, qiū, dōng sì
gè jìjié.

讲 jiǎng *v.*

❶ 您刚才讲的这几个问题， `speak, talk`
我都没听懂。
Nín gāngcái jiǎng de zhè jǐ gè wèntí, wǒ dōu
méi tīngdǒng.

❷ 他讲了半天我才明白他的意思。
Tā jiǎngle bàntiān wǒ cái míngbai tā de yìsi.

高
频

结束 jiéshù *v.*

❶ 演出已经结束了。 `finish, end`
Yǎnchū yǐjīng jiéshù le.

❷ 同学们注意一下，比赛结束以后，请大家先回教室。
Tóngxuémen zhùyì yíxià, bǐsài jiéshù yǐhòu, qǐng dàjiā xiān huí jiàoshì.

裤子 kùzi *n.*

❶ 这条裤子有点儿短，我 `trousers, pants`
再换一条吧。
Zhè tiáo kùzi yǒu diánr duǎn, wǒ zài huàn yì tiáo ba.

❷ 我刚买了一条裤子，特别漂亮。
Wǒ gāng mǎile yì tiáo kùzi, tèbié piàoliang.

了解 liǎojiě *v.*

❶ 我不了解他。 `understand`
Wǒ bù liǎojiě tā.

❷ 我基本了解了这里的情况。
Wǒ jīběn liǎojiěle zhèlǐ de qíngkuàng.

努力 nǔlì *v.*

❶ 如果你今天工作不努力，明天 `try hard`
就得努力找工作。
Rúguǒ nǐ jīntiān gōngzuò bù nǔlì, míngtiān jiù děi nǔlì zhǎo gōngzuò.

❷ 谢谢您给我这个机会，我会努力工作的。
Xièxie nín gěi wǒ zhè gè jīhuì, wǒ huì nǔlì gōngzuò de.

骑 qí *v.*

❶ 我每天都骑自行车上下班。 `ride`
Wǒ měi tiān dōu qí zìxíngchē shàng-xiàbān.

❷ 女儿第一次骑马的时候很害怕。
Nǚ'ér dì-yī cì qímǎ de shíhou hěn hàipà.

清楚 qīngchu *adj.*

❶ 有什么不清楚 `clear, clearly understood`
的地方，大家可以问我。
Yǒu shénme bù qīngchu de dìfang, dàjiā kěyǐ wèn wǒ.

❷ 你声音大一点儿好吗？我听不清楚你在说什么。
Nǐ shēngyīn dà yìdiǎnr hǎo ma? Wǒ tīng bu qīngchu nǐ zài shuō shénme.

同事 tóngshì *n.*

❶ 我介绍一下，这是小万，我 `colleague`
公司新来的同事。
Wǒ jièshào yíxià, zhè shì Xiǎo Wàn, wǒ gōngsī xīn lái de tóngshì.

❷ 他做事努力，为人诚恳，同事们都很喜欢他。
Tā zuòshì nǔlì, wéirén chéngkěn, tóngshìmen dōu hěn xǐhuan tā.

位 wèi *m.w.*

❶ 昨天家里来 `(measure word for people)`
了一位客人。
Zuótiān jiā li láile yí wèi kèrén.

❷ 先生，您好，欢迎光临，请问您几位？

Xiānsheng, nín hǎo, huānyíng guānglín,
qǐngwèn nín jǐ wèi?

校长　　xiàozhǎng　　*n.*

principal/president (of a university, college or school)

❶请问，校长今天来了吗？
Qǐngwèn, xiàozhǎng jīntiān láile ma?

❷王校长有个 9 岁的女儿，现在读小学三年级。
Wáng xiàozhǎng yǒu gè jiǔ suì de nǚ'ér, xiànzài dú xiǎoxué sān niánjí.

越　　yuè　　*adv.*

❶风筝越飞越高了。　　the more ... the more
Fēngzheng yuè fēi yuè gāo le.

❷电脑使我们的学习、工作越来越方便了。
Diànnǎo shǐ wǒmen de xuéxí, gōngzuò yuèláiyuè fāngbiàn le.

过　　guò　　*v.*

❶时间过得真快，我来北京 8 年了。　pass
Shíjiān guò de zhēn kuài, wǒ lái Běijīng bā nián le.

❷过一会儿妈妈就下班回来了。
Guò yíhuìr māma jiù xiàbān huílai le.

变化　　biànhuà　　*n.*

❶北京的变化真大。　　change
Běijīng de biànhuà zhēn dà.

❷换季的时候，气温变化很大，人们容易

生病。

Huànjì de shíhou, qìwēn biànhuà hěn dà, rénmen róngyì shēngbìng.

聪明　　cōngming　　*adj.*

❶ 他女朋友比他小一岁，很可爱，而且很聪明。　　clever

Tā nǚpéngyou bǐ tā xiǎo yí suì, hěn kě'ài, érqiě hěn cōngming.

❷ 我的小孙女又聪明又可爱，大家都喜欢她。

Wǒ de xiǎo sūnnǚ yòu cōngming yòu kě'ài, dàjiā dōu xǐhuan tā.

故事　　gùshi　　*n.*

❶ 每天睡觉前，女儿都要求我给她讲一个故事。　　story

Měi tiān shuìjiào qián, nǚ'ér dōu yāoqiú wǒ gěi tā jiǎng yí gè gùshi.

❷ 你听过白雪公主的故事吗？

Nǐ tīngguo Báixuě Gōngzhǔ de gùshi ma?

关心　　guānxīn　　*v.*

❶ 他一直都很关心弟弟。　　care for

Tā yìzhí dōu hěn guānxīn dìdi.

❷ 每个人都要关心自己的身体。

Měi gè rén dōu yào guānxīn zìjǐ de shēntǐ.

检查　　jiǎnchá　　*v.*

❶ 明天上级领导来检查工作。　　examine, inspect

Míngtiān shàngjí lǐngdǎo lái jiǎnchá gōngzuò.

高频

❷答完试题要好好检查一下，注意别写错字。

Dáwán shìtí yào hǎohǎo jiǎnchá yíxià, zhùyì bié xiěcuò zì.

见面　jiànmiàn　v.

❶我和她很久没见面了。 ~~meet, see~~

Wǒ hé tā hěn jiǔ méi jiànmiàn le.

❷这件事电话里讲不明白，我们最好见面说。

Zhè jiàn shì diànhuà li jiǎng bu míngbai, wǒmen zuìhǎo jiànmiàn shuō.

结婚　jiéhūn　v.

❶张叔叔和王阿姨结婚 ~~marry, get married~~ 已经 10 年了。

Zhāng shūshu hé Wáng āyí jiéhūn yǐjīng shí nián le.

❷她和男朋友打算今年结婚。

Tā hé nánpéngyou dǎsuan jīnnián jiéhūn.

哭　kū　v.

❶小孩子摔倒了，大哭起来。 ~~cry, weep~~

Xiǎoháizi shuāidǎo le, dàkū qǐlái.

❷孩子在学会说话以前，就先懂得了哭和笑。

Háizi zài xuéhuì shuōhuà yǐqián, jiù xiān dǒngdéle kū hé xiào.

脸　liǎn　n.

❶你的脸怎么这么红？发烧了？ ~~face~~

Nǐ de liǎn zěnme zhème hóng? Fāshāo le?

❷她的脸又圆又红，像个红苹果。
Tā de liǎn yòu yuán yòu hóng, xiàng gè hóng píngguǒ.

奇怪　qíguài　*adj.*

❶真奇怪，商场里今天怎么这么安静？　**strange, odd**
Zhēn qíguài, shāngchǎng li jīntiān zěnme zhème ānjìng?

❷大家都觉得这件事很奇怪。
Dàjiā dōu juéde zhè jiàn shì hěn qíguài.

世界　shìjiè　*n.*

❶奥运会是全世界人民的体育盛会。　**world**
Àoyùnhuì shì quán shìjiè rénmín de tǐyù shènghuì.

❷世界上本没有路，走的人多了，也就有了路。
Shìjiè shang běn méiyǒu lù, zǒu de rén duō le, yě jiù yǒule lù.

甜　tián　*adj.*

❶小孩子都喜欢吃甜的东西。　**sweet**
Xiǎoháizi dōu xǐhuan chī tián de dōngxi.

❷经常吃甜的东西容易发胖。
Jīngcháng chī tián de dōngxi róngyì fāpàng.

碗　wǎn　*n.*

❶我做饭，你刷碗，怎么样？　**bowl**
Wǒ zuòfàn, nǐ shuāwǎn, zěnmeyàng?

❷你吃饱了吗？要不要再来一碗米饭？
Nǐ chībǎo le ma? Yào bu yào zài lái yì wǎn

mǐfàn?

相信　　xiāngxìn　　v.

❶ 你相信吗？这个　　**believe, be convinced**
瓷器去年春天卖 100 万。
Nǐ xiāngxìn ma? Zhè gè cíqì qùnián chūntiān
mài yìbǎi wàn.

❷ 我了解你爸，我相信他是不会答应你的。
Wǒ liǎojiě nǐ bà, wǒ xiāngxìn tā shì bú huì
dāying nǐ de.

小心　　xiǎoxīn　　v.

❶ 降温了，你还是多　　**be careful, take care**
穿点儿再出去，小心感冒。
Jiàngwēn le, nǐ háishi duō chuān diǎnr zài
chūqu, xiǎoxīn gǎnmào.

❷ 路上小心点儿，到了英国就给我打电话。
Lù shang xiǎoxīn diǎnr, dàole Yīngguó jiù gěi
wǒ dǎ diànhuà.

重要　　zhòngyào　　adj.

❶ 生病了要注意休息，因为健康　**important**
最重要。
Shēngbìngle yào zhùyì xiūxi, yīnwèi jiànkāng
zuì zhòngyào.

❷ 这个周末我要去参加个重要的会议，所以
不能和你一起去看电影了。
Zhè gè zhōumò wǒ yào qù cānjiā gè zhòngyào
de huìyì, suǒyǐ bù néng hé nǐ yìqǐ qù kàn
diànyǐng le.

作业　　zuòyè　　*n.*

❶我写完作业了，我想和同学　　homework
们去游泳。
Wǒ xiěwán zuòyè le, wǒ xiǎng hé tóngxuémen
qù yóuyǒng.

❷你的数学作业做完了吗？
Nǐ de shùxué zuòyè zuòwán le ma?

面条　　miàntiáo　　*n.*

❶咱们今天晚上吃面条吧。　　noodles
Zánmen jīntiān wǎnshang chī miàntiáo ba.

❷我已经习惯吃面条了。
Wǒ yǐjīng xíguàn chī miàntiáo le.

办法　　bànfǎ　　*n.*

❶我觉得你的办法是最合适的。　method, way
Wǒ juéde nǐ de bànfǎ shì zuì héshì de.

❷没办法，这个季节的上海就是这样的，
小雨不停地下。
Méi bànfǎ, zhè ge jìjié de Shànghǎi jiù shì
zhèyàng de, xiǎoyǔ bù tíng de xià.

成绩　　chéngjì　　*n.*

❶经过半年的努力，她　　grades, achievement
的成绩有很大提高。
Jīngguò bàn nián de nǔlì, tā de chéngjì yǒu
hěn dà tígāo.

❷她学习一直很努力，成绩一直保持在第
一名。
Tā xuéxí yìzhí hěn nǔlì, chéngjì yìzhí bǎochí
zài dì-yī míng.

除了 chúle *prep.*

❶ 除了小王，全班同学 `besides, apart from` 都去看电影。
Chúle Xiǎo Wáng, quán bān tóngxué dōu qù kàn diànyǐng.

❷ 除了春节，端午节也是中国人很重要的一个节日。
Chúle Chūn Jié, Duānwǔ Jié yě shì Zhōngguórén hěn zhòngyào de yí gè jiérì.

高
频

地铁 dìtiě *n.*

❶ 七点半以后，地铁里已经 `subway, metro` 是人山人海了。
Qī diǎn bàn yǐhòu, dìtiě li yǐjīng shì rénshān-rénhǎi le.

❷ 我们先骑自行车，然后换地铁。
Wǒmen xiān qí zìxíngchē, ránhòu huàn dìtiě.

饿 è *adj.*

❶ 我的女儿玩儿了一上午，又累 `hungry` 又饿。
Wǒ de nǚ'ér wánrle yí shàngwǔ, yòu lèi yòu è.

❷ 干了一天活儿，我都饿了。
Gànle yì tiān huór, wǒ dōu è le.

机会 jīhuì *n.*

❶ 对我来说，这是个 `opportunity, chance` 难得的机会。
Duì wǒ lái shuō, zhè shì gè nándé de jīhuì.

❷ 我希望有机会能去英国留学。
Wǒ xīwàng yǒu jīhuì néng qù Yīngguó liúxué.

解决　jiějué　*v.*

❶ 经理很快就解决了这个问题。　solve
Jīnglǐ hěn kuài jiù jiějuéle zhè gè wèntí.

❷ 张奶奶，您放心，这个问题很快就能解决。
Zhāng nǎinai, nín fàngxīn, zhè gè wèntí hěn kuài jiù néng jiějué.

蓝　lán　*adj.*

❶ 那个地方很有名，蓝天，白云，　blue
大海，沙滩，很多人喜欢去那儿旅游。
Nà gè dìfang hěn yǒumíng, lántiān, báiyún, dàhǎi, shātān, hěn duō rén xǐhuan qù nàr lǚyóu.

❷ 她总是穿一条蓝裙子。
Tā zǒngshì chuān yì tiáo lán qúnzi.

满意　mǎnyì　*adj.*

❶ 我对自己的游泳成绩　satisfied, pleased
不太满意。
Wǒ duì zìjǐ de yóuyǒng chéngjì bú tài mǎnyì.

❷ 她对这次考察的结果很满意。
Tā duì zhè cì kǎochá de jiéguǒ hěn mǎnyì.

帽子　màozi　*n.*

❶ 李老师，教室里那个黑色的　hat, cap
帽子是您的吗？
Lǐ lǎoshī, jiàoshì li nà gè hēisè de màozi shì nín de ma?

❷ 我的帽子找不到了。
Wǒ de màozi zhǎo bu dào le.

其实　　qíshí　　*adv.*

❶ 对一个女人来说，漂亮、 actually, in fact
聪明都很重要，但其实更重要的是自信。
Duì yí gè nǚrén láishuō, piàoliang, cōngming
dōu hěn zhòngyào, dàn qíshí gèng zhòngyào
de shì zìxìn.

❷ 其实这是个误会。Qíshí zhè shì gè wùhuì.

其他　　qítā　　*pron.*

❶ 那个牌子的电脑太贵，我们 other, else
再看看其他的吧。
Nà gè páizi de diànnǎo tài guì, wǒmen zài
kànkan qítā de ba.

❷ 我不喜欢一直住在一个地方，我想去
其他国家看看。
Wǒ bù xǐhuan yìzhí zhù zài yí gè dìfang, wǒ
xiǎng qù qítā guójiā kànkan.

裙子　　qúnzi　　*n.*

❶ 你穿这条裙子真漂亮。 skirt
Nǐ chuān zhè tiáo qúnzi zhēn piàoliang.

❷ 这条裙子是不是有点儿短？
Zhè tiáo qúnzi shì bu shì yǒu diǎnr duǎn?

容易　　róngyì　　*adj.*

❶ 说起来容易做起来难。 easy
Shuō qǐlái róngyì zuò qǐlái nán.

❷ 这篇文章写得很通俗，容易看懂。
Zhè piān wénzhāng xiě de hěn tōngsú, róngyì
kàndǒng.

水平　shuǐpíng　*n.*

❶我想知道如何在有限的　level, standard
时间里提高英语水平。
Wǒ xiǎng zhīdào rúhé zài yǒuxiàn de shíjiān li
tígāo Yīngyǔ shuǐpíng.

❷只有多练习，才能提高你的乒乓球水平。
Zhǐyǒu duō liànxí, cáinéng tígāo nǐ de
pīngpāngqiú shuǐpíng.

头发　tóufa　*n.*

❶玛丽的头发是黄色的。　hair
Mǎlì de tóufa shì huángsè de.

❷女儿从小就喜欢短头发，喜欢像男孩子
一样踢足球。
Nǚ'ér cóngxiǎo jiù xǐhuan duǎn tóufa, xǐhuan
xiàng nánháizi yíyàng tī zúqiú.

影响　yíngxiǎng　*v.*

❶我的男朋友喜欢看篮球　influence, affect
比赛，是他影响了我。
Wǒ de nánpéngyou xǐhuan kàn lánqiú bǐsài,
shì tā yǐngxiǎngle wǒ.

❷一个好人能用自己的言行影响别人。
Yí gè hǎorén néng yòng zìjǐ de yánxíng
yíngxiǎng biérén.

安静　ānjìng　*adj.*

❶你这儿的环境真好，真　quiet, peaceful
安静。
Nǐ zhèr de huánjìng zhēn hǎo, zhēn ānjìng.

❷真奇怪，商场里今天怎么这么安静？
Zhēn qíguài, shāngchǎng li jīntiān zěnme

zhème ānjìng?

办公室　bàngōngshì　*n.*

❶ 我九点前必须回到办公室，经理 `office`
有事情找我。
Wǒ jiǔ diǎn qián bìxū huídào bàngōngshì,
jīnglǐ yǒu shìqing zhǎo wǒ.

❷ 她的办公室宽敞又明亮。
Tā de bàngōngshì kuānchǎng yòu míngliàng.

差　chà　*v. & adj.*

❶ 还差一套餐具，你去拿一 `be lack of; bad`
下。
Hái chà yí tào cānjù, nǐ qù ná yíxià.

❷ 这家公司的财务状况比预期的差。
Zhè jiā gōngsī de cáiwù zhuàngkuàng bǐ yùqī
de chà.

电梯　diàntī　*n.*

❶ 我刚才在电梯门口遇到校长了。 `elevator`
Wǒ gāngcái zài diàntī ménkǒu yùdào
xiàozhǎng le.

❷ 我们坐电梯上去吧？
Wǒmen zuò diàntī shàngqu ba?

动物　dòngwù　*n.*

❶ 今天是周末，来动物园的人特别 `animal`
多。
Jīntiān shì zhōumò, lái dòngwùyuán de rén
tèbié duō.

❷ 我要带弟弟去动物园，他想看大象。
Wǒ yào dài dìdi qù dòngwùyuán, tā xiǎng

kàn dàxiàng.

干净　　gānjìng　　*adj.*

❶ 这个饭馆的厨房真干净！　clean, neat
Zhè gè fànguǎn de chúfáng zhēn gānjìng!

❷ 他换了一件干净的衬衫。
Tā huànle yí jiàn gānjìng de chènshān.

护照　　hùzhào　　*n.*

❶ 她把护照放在书包里了。　passport
Tā bǎ hùzhào fàngzài shūbāo li le.

❷ 我把护照丢了。Wǒ bǎ hùzhào diū le.

花　　huā　　*n.*

❶ 公园里开着五颜六色的花儿。　flower
Gōngyuán li kāizhe wǔyán-liùsè de huār.

❷ 我家花园里的花儿全都开了。
Wǒ jiā huāyuán li de huār quán dōu kāi le.

环境　　huánjìng　　*n.*

environment, circumstances, surroundings

❶ 这个城市的环境变得越来越好了。
Zhè gè chéngshì de huánjìng biàn de
yuèláiyuè hǎo le.

❷ 保护环境，人人有责。
Bǎohù huánjìng, rénrén yǒu zé.

健康　　jiànkāng　　*n.*

❶ 生病了要注意休息，因为健康　health
最重要。
Shēngbìngle yào zhùyì xiūxi, yīnwèi jiànkāng

zuì zhòngyào.

❷ 祝您身体健康。
Zhù nín shēntǐ jiànkāng.

接　jiē　v.

meet or welcome sb; answer (the phone)

❶ 王校长是第一次来，你下楼去接他吧。
Wáng xiàozhǎng shì dì-yī cì lái, nǐ xiàlóu qù jiē tā ba.

❷ 小王没来？打他电话怎么一直没人接？
Xiǎo Wáng méi lái? Dǎ tā diànhuà zěnme yìzhí méi rén jiē?

节目　jiémù　n.

❶ 昨天是六月一号，
我们去学校看了女儿表演的节目。　performance, program
Zuótiān shì liù yuè yī hào, wǒmen qù xuéxiào kànle nǚ'ér biǎoyǎn de jiémù.

❷ 哥哥最喜欢看体育节目了。
Gēge zuì xǐhuan kàn tǐyù jiémù le.

可爱　kě'ài　adj.

❶ 我喜欢这个可爱的地方。　cute, lovely
Wǒ xǐhuan zhè gè kě'ài de dìfang.

❷ 那只小狗真可爱。
Nà zhī xiǎogǒu zhēn kě'ài.

空调　kōngtiáo　n.

❶ 好热啊，开空调吧。　air conditioner
Hǎo rè a, kāi kōngtiáo ba.

❷ 我一进办公室就把空调打开了。
Wǒ yí jìn bàngōngshì jiù bǎ kōngtiáo dǎkāi le.

离开 líkāi *v.*

❶等一会儿你离开会议室的 | depart, leave |
时候记得把灯关了。
Děng yíhuìr nǐ líkāi huìyìshì de shíhou jìde bǎ
dēng guānle.

❷我离开上海三年了。
Wǒ líkāi Shànghǎi sān nián le.

面包 miànbāo *n.*

❶今天的早饭是牛奶和面包。 | bread |
Jīntiān de zǎofàn shì niúnǎi hé miànbāo.

❷这种面包真好吃。
Zhè zhǒng miànbāo zhēn hǎochī.

奶奶 nǎinai *n.*

❶我们坐火车去奶奶家。 | grandmother |
Wǒmen zuò huǒchē qù nǎinai jiā.

❷奶奶，我饿了，有什么吃的吗?
Nǎinai, wǒ è le, yǒu shénme chī de ma?

秋 qiū *n.*

❶我最喜欢北京的秋天。 | autumn, fall |
Wǒ zuì xǐhuan Běijīng de qiūtiān.

❷秋季是丰收的季节。
Qiūjì shì fēngshōu de jìjié.

认真 rènzhēn *adj.*

❶他上课认真听讲。 | conscientious, serious |
Tā shàngkè rènzhēn tīngjiǎng.

❷你还是认真地考虑考虑再做决定吧。
Nǐ háishi rènzhēn de kǎolǜ kǎolǜ zài zuò
juédìng ba.

瘦　　shòu　　*adj. & v.*

❶ 孩子健康就好，　　thin, slim; lose weight
胖瘦没关系。
Háizi jiànkāng jiù hǎo, pàngshòu méi guānxi.

❷ 真不敢相信，我一个星期就瘦了六斤。
Zhēn bù gǎn xiāngxìn, wǒ yí gè xīngqī jiù shòule liù jīn.

叔叔　　shūshu　　*n.*

father's younger brother, uncle

❶ 叔叔买这个电脑花了 5000 块钱。
Shūshu mǎi zhè gè diànnǎo huāle wǔqiān kuài qián.

❷ 我叔叔认识这个学校的校长，他们是中学同学。
Wǒ shūshu rènshi zhè gè xuéxiào de xiàozhǎng, tāmen shì zhōngxué tóngxué.

图书馆　　túshūguǎn　　*n.*

❶ 图书馆在教学楼后面。　　library
Túshūguǎn zài jiàoxuélóu hòumiàn.

❷ 上周，我从学校图书馆借了一本介绍中国文化的书。
Shàng zhōu, wǒ cóng xuéxiào túshūguǎn jièle yì běn jièshào Zhōngguó wénhuà de shū.

夏　　xià　　*n.*

❶ 西瓜是夏天最常见的水果。　　summer
Xīguā shì xiàtiān zuì cháng jiàn de shuǐguǒ.

❷ 这房子冬暖夏凉。
Zhè fángzi dōngnuǎn-xiàliáng.

新闻 xīnwén *n.*

❶ 我每天晚上都看新闻联播。
Wǒ měi tiān wǎnshang dōu kàn Xīnwén
Liánbō.

news

❷ 现在越来越多的人通过互联网看新闻。
Xiànzài yuèláiyuè duō de rén tōngguò
hùliánwǎng kàn xīnwén.

选择 xuǎnzé *v.*

❶ 您可以选择火车站附近
的宾馆，又方便又便宜。
Nín kěyǐ xuǎnzé huǒchēzhàn fùjìn de bīnguǎn,
yòu fāngbiàn yòu piányi.

select, choose

❷ 教授亲自选择了一名助手。
Jiàoshòu qīnzì xuǎnzéle yì míng zhùshǒu.

愿意 yuànyì *v.*

❶ 如果她愿意，欢迎她来
我的公司工作。
Rúguǒ tā yuànyì, huānyíng tā lái wǒ de gōngsī
gōngzuò.

want, be willing

❷ 你愿意陪我一起去北京吗？
Nǐ yuànyì péi wǒ yìqǐ qù Běijīng ma?

长 zhǎng *v.*

❶ 儿子长得越来越像妈妈了。
Érzi zhǎng de yuèláiyuè xiàng māma le.

grow

❷ 孩子长牙了。
Háizi zhǎng yá le.

种　　zhǒng　　*m.w.*

❶ 这种花儿很珍贵。　　kind, type
Zhè zhǒng huār hěn zhēnguì.

❷ 他买了好几种水果去看病人。
Tā mǎile hǎo jǐ zhǒng shuǐguǒ qù kàn bìngrén.

注意　　zhùyì　　*v.*

❶ 她一向很注意自己的穿着　　pay attention to
打扮。
Tā yíxiàng hěn zhùyì zìjǐ de chuānzhuó dǎbàn.

❷ 我把需要注意的问题，都写在信里了。
Wǒ bǎ xūyào zhùyì de wèntí, dōu xiě zài xìn li le.

搬　　bān　　*v.*

❶ 你想把这盒子搬到哪儿去？　　move
Nǐ xiǎng bǎ zhè hézi bāndào nǎr qù?

❷ 我终于买房子了，下个月就可以搬家了。
Wǒ zhōngyú mǎi fángzi le, xià gè yuè jiù kěyǐ
bānjiā le.

包　　bāo　　*n.*

❶ 我把护照放在包里了。　　bag
Wǒ bǎ hùzhào fàng zài bāo li le.

❷ 在公交车上，我的包丢了。
Zài gōngjiāochē shang, wǒ de bāo diū le.

鼻子　　bízi　　*n.*

❶ 大象的鼻子很长。　　nose
Dàxiàng de bízi hěn cháng.

❷ 她高鼻子大眼睛，很漂亮。
Tā gāo bízi dà yǎnjing, hěn piàoliang.

打扫 dǎsǎo v.

❶ 妈妈总是把厨房打扫得很 clean, sweep
干净。
Māma zǒngshì bǎ chúfáng dǎsǎo de hěn
gānjìng.

❷ 我来打扫房间，你来洗衣服，怎么样?
Wǒ lái dǎsǎo fángjiān, nǐ lái xǐ yīfu, zěnmeyàng?

地 de part.

(used with an adverb or adverbial phrase)

❶ 弟弟难过地哭了。
Dìdi nánguò de kū le.

❷ 我们班同学都在认真地学习。
Wǒmen bān tóngxué dōu zài rènzhēn de xuéxí.

灯 dēng n.

❶ 天黑了，路边的灯都亮了。 lamp, light
Tiān hēi le, lù biān de dēng dōu liàng le.

❷ 教室的灯坏了，该换个新的了。
Jiàoshì de dēng huài le, gāi huàn gè xīn de le.

地图 dìtú n.

❶ 墙上挂着一张中国地图。 map
Qiáng shang guàzhe yì zhāng Zhōngguó dìtú.

❷ 我按照地图上的位置找到了那家工厂。
Wǒ ànzhào dìtú shang de wèizhì zhǎodàole
nà jiā gōngchǎng.

锻炼 duànliàn v.

❶ 你都很长时间没锻炼 do physical exercise
了，下午和我去游泳吧。

Nǐ dōu hěn cháng shíjiān méi duànliàn le,
xiàwǔ hé wǒ qù yóuyǒng ba.

❷爷爷每天早上都去公园锻炼身体。

Yéye měi tiān zǎoshang dōu qù gōngyuán
duànliàn shēntǐ.

复习 fùxí *v.*

❶你弟弟下周考试，正在复习呢， review
别影响他。

Nǐ dìdi xià zhōu kǎoshì, zhèngzài fùxí ne, bié
yǐngxiǎng tā.

❷这些内容，我都复习过三遍了。

Zhèxiē nèiróng, wǒ dōu fùxíguo sān biàn le.

几乎 jīhū *adv.*

❶每次经过他家门口，我几乎都 almost
能看到他爷爷在听收音机。

Měi cì jīngguò tā jiā ménkǒu, wǒ jīhū dōu
néng kàndào tā yéye zài tīng shōuyīnjī.

❷小时候，我几乎每天都要看《七巧板》
这个节目。

Xiǎoshíhou, wǒ jīhū měi tiān dōu yào kàn
《Qīqiǎobǎn》zhè gè jiémù.

渴 kě *adj.*

❶你渴吗？要不要喝杯水？ thirsty

Nǐ kě ma? Yào bu yào hē bēi shuǐ?

❷我很渴。

Wǒ hěn kě.

礼物 lǐwù *n.*

❶ 祝你生日快乐！这是我送 gift, present
给你的礼物，希望你能喜欢。
Zhù nǐ shēngrì kuàilè! Zhè shì wǒ sònggěi nǐ
de lǐwù, xīwàng nǐ néng xǐhuan.

❷ 生日那天，我收到很多礼物。
Shēngrì nà tiān, wǒ shōudào hěn duō lǐwù.

伞 sǎn *n.*

❶ 我新买了一把雨伞，很漂亮。 umbrella
Wǒ xīn mǎile yì bǎ yǔsǎn, hěn piàoliang.

❷ 阴天了，好像要下雨，你要是出门，记
得带上伞。
Yīntiān le, hǎoxiàng yào xiàyǔ, nǐ yàoshi
chūmén, jìde dàishàng sǎn.

刷牙 shuāyá *v.*

❶ 我刷牙的时候，电话响了。 brush teeth
Wǒ shuāyá de shíhou, diànhuà xiǎng le.

❷ 饭后刷牙是好习惯。
Fànhòu shuāyá shì hǎo xíguàn.

司机 sījī *n.*

❶ 你要去哪儿？我让司机开车送 driver
你去吧。
Nǐ yào qù nǎr? Wǒ ràng sījī kāichē sòng nǐ
qù ba.

❷ 我爸爸是个老司机了。
Wǒ bàba shì gè lǎo sījī le.

腿　　tuǐ　　*n.*

❶ 她的腿又长又细。　　leg
Tā de tuǐ yòu cháng yòu xì.

❷ 我的腿受伤了。
Wǒ de tuǐ shòushāng le.

文化　　wénhuà　　*n.*

❶ 我们要学习一切先　　culture, civilization
进文化。
Wǒmen yào xuéxí yíqiè xiānjìn wénhuà.

❷ 不同的国家有不同的文化。
Bùtóng de guójiā yǒu bùtóng de wénhuà.

香蕉　　xiāngjiāo　　*n.*

❶ 香蕉是一种热带水果。　　banana
Xiāngjiāo shì yì zhǒng rèdài shuǐguǒ.

❷ 猴子爱吃香蕉。
Hóuzi ài chī xiāngjiāo.

新鲜　　xīnxiān　　*adj.*

❶ 这些蔬菜很新鲜。　　fresh
Zhèxiē shūcài hěn xīnxiān.

❷ 刚来到中国，你会觉得什么都很新鲜。
Gāng láidào Zhōngguó, nǐ huì juéde shénme
dōu hěn xīnxiān.

熊猫　　xióngmāo　　*n.*

❶ 熊猫生活在中国西南地区的山中。　　panda
Xióngmāo shēnghuó zài Zhōngguó Xīnán
dìqū de shān zhōng.

❷我要带女儿去动物园，她想看大熊猫。
Wǒ yào dài nǚ'ér qù dòngwùyuán, tā xiǎng
kàn dàxióngmāo.

音乐　　yīnyuè　　n.

❶他用音乐表达了对亲人的思念 music
之情。
Tā yòng yīnyuè biǎodále duì qīnrén de sīniàn
zhīqíng.

❷他喜欢音乐，也喜欢画画儿。
Tā xǐhuan yīnyuè, yě xǐhuan huàhuàr.

银行　　yínháng　　n.

❶银行九点开门。 bank
Yínháng jiǔ diǎn kāimén.

❷学校附近有一家银行。
Xuéxiào fùjìn yǒu yì jiā yínháng.

游戏　　yóuxì　　n.

❶他写完作业就一直在玩儿游戏。 game
Tā xiěwán zuòyè jiù yìzhí zài wán yóuxì.

❷网络游戏有很多，你在玩儿哪个？
Wǎngluò yóuxì yǒu hěn duō, nǐ zài wánr nǎ gè?

遇到　　yùdào　　v.

❶我在下班回家的路上 come across, meet
遇到一个老同学。
Wǒ zài xiàbān huíjiā de lù shang yùdào yí gè
lǎo tóngxué.

❷他在我遇到问题的时候帮助过我。
Tā zài wǒ yùdào wèntí de shíhou bāngzhùguo
wǒ.

照顾 zhàogù *v.*

❶ 这几天我不在家，请你帮 ▢take care of
我照顾一下小狗。
Zhè jǐ tiān wǒ bú zài jiā, qǐng nǐ bāng wǒ
zhàogù yíxià xiǎogǒu.

❷ 我爸爸生病了，我要在家照顾他。
Wǒ bàba shēngbìng le, wǒ yào zài jiā zhàogù
tā.

铅笔 qiānbǐ *n.*

❶ 请您用铅笔把名字写在这儿。 ▢pencil
Qǐng nín yòng qiānbǐ bǎ míngzi xiě zài zhèr.

❷ 把桌子上的铅笔给我，谢谢。
Bǎ zhuōzi shang de qiānbǐ gěi wǒ, xièxie.

冰箱 bīngxiāng *n.*

❶ 这个冰箱太贵了，我们看 ▢refrigerator
看别的牌子吧。
Zhè gè bīngxiāng tài guì le, wǒmen kànkan
biéde páizi ba.

❷ 你把桌子上的鱼放冰箱里吧。
Nǐ bǎ zhuōzi shang de yú fàng bīngxiāng li ba.

草 cǎo *n.*

❶ 春天来了，小草发芽了。 ▢grass
Chūntiān lái le, xiǎocǎo fāyá le.

❷ 草尖儿上挂着露珠。
Cǎojiānr shang guàzhe lùzhū.

担心 dānxīn *v.*

❶ 别担心，我坐出租车去，半小时 ▢worry

就到学校了。
Bié dānxīn, wǒ zuò chūzūchē qù, bàn xiǎoshí jiù dào xuéxiào le.

❷他这么晚还没回来，我很担心。
Tā zhème wǎn hái méi huílai, wǒ hěn dānxīn.

短   duǎn   *adj.*

❶这条裤子太短了，换一条吧。   short, brief
Zhè tiáo kùzi tài duǎn le, huàn yì tiáo ba.

❷虽然小王来公司的时间短，但他做事一直很努力，同事们都很喜欢他。
Suīrán Xiǎo Wáng lái gōngsī de shíjiān duǎn, dàn tā zuòshì yìzhí hěn nǔlì, tóngshìmen dōu hěn xǐhuan tā.

放心   fàngxīn   *v.*

❶他做事认真，领导对他很   feel at ease
放心。
Tā zuòshì rènzhēn, lǐngdǎo duì tā hěn fàngxīn.

❷放心吧，我会照顾好自己的。
Fàngxīn ba, wǒ huì zhàogùhǎo zìjǐ de.

感冒   gǎnmào   *v.*

❶天气冷，多穿点儿衣服，   catch a cold
小心感冒。
Tiānqì lěng, duō chuān diǎnr yīfu, xiǎoxīn gǎnmào.

❷他每年都会感冒几次。
Tā měi nián dōu huì gǎnmào jǐ cì.

关于　　guānyú　*prep.*

❶ 你们这儿有关于中国文化的书吗？　about
Nǐmen zhèr yǒu guānyú Zhōngguó wénhuà de shū ma?

❷ 他买了一本关于理财的书。
Tā mǎile yì běn guānyú lǐcái de shū.

害怕　　hàipà　*adj.*

❶ 女儿害怕晚上一个人回家。　afraid, scared
Nǚ'ér hàipà wǎnshang yí gè rén huíjiā.

❷ 这是我第一次骑马，我有点儿害怕。
Zhè shì wǒ dì-yī cì qímǎ, wǒ yǒu diǎnr hàipà.

脚　　jiǎo　*n.*

❶ 我的脚大，穿大号的鞋。　foot
Wǒ de jiǎo dà, chuān dà hào de xié.

❷ 我高兴地摸着孩子那双胖胖的小脚。
Wǒ gāoxìng de mōzhe háizi nà shuāng pàngpàng de xiǎojiǎo.

久　　jiǔ　*adj.*

❶ 我和这个同学很久没见面了。　for a long time
Wǒ hé zhè gè tóngxué hěn jiǔ méi jiànmiàn le.

❷ 好久不见，我们找个地方吃饭吧？
Hǎo jiǔ bújiàn, wǒmen zhǎo gè dìfang chīfàn ba?

决定　　juédìng　*v.*

❶ 她决定把手表送给弟弟。　decide, determine

Tā juédìng bǎ shǒubiǎo sònggěi dìdi.

❷他从小就对物理非常感兴趣，所以他
决定考物理系。

Tā cóngxiǎo jiù duì wùlǐ fēicháng gǎn xìngqù,
suǒyǐ tā juédìng kǎo Wùlǐ Xì.

绿　　lǜ　　adj.

❶树叶是绿色的。Shùyè shì lǜsè de.　green

❷喝杯绿茶吧，这是新买的，还不错。
Hē bēi lǜchá ba, zhè shì xīn mǎi de, hái búcuò.

马　　mǎ　　n.

❶他养过一匹马。　　　　　　　horse
Tā yǎngguo yì pǐ mǎ.

❷那匹马跑过来了。Nà pǐ mǎ pǎo guòlái le.

年级　　niánjí　　n.

❶小刘是一位小学老师，教三年级 grade
的语文。
Xiǎo Liú shì yí wèi xiǎoxué lǎoshī, jiāo sān
niánjí de yǔwén.

❷他家孩子上小学四年级，我女儿上初中
一年级。
Tā jiā háizi shàng xiǎoxué sì niánjí, wǒ nǚ'ér
shàng chūzhōng yī niánjí.

啤酒　　píjiǔ　　n.

❶冰箱里有啤酒和果汁，你要哪个？ beer
Bīngxiāng li yǒu píjiǔ hé guǒzhī, nǐ yào nǎge?

❷服务员，给我来三瓶啤酒。
Fúwùyuán, gěi wǒ lái sān píng píjiǔ.

生气　　shēngqì　　v.

❶ 经理生气地挂了　　get angry, be enraged
电话。
Jīnglǐ shēngqì de guàle diànhuà.

❷ 经常生气对身体不好。
Jīngcháng shēngqì duì shēntǐ bù hǎo.

声音　　shēngyīn　　n.

❶ 他说话的声音很大。　　voice, sound
Tā shuōhuà de shēngyīn hěn dà.

❷ 我远远地就听到了流水的声音。
Wǒ yuǎnyuǎn de jiù tīngdàole liúshuǐ de
shēngyīn.

太阳　　tàiyáng　　n.

❶ 太阳出来了，天晴了。　　sun
Tàiyáng chūlái le, tiān qíng le.

❷ 今天天气真好，太阳出来了，也不刮风，
我们去公园吧。
Jīntiān tiānqì zhēn hǎo, tàiyáng chūlái le, yě
bù guāfēng, wǒmen qù gōngyuán ba.

体育　　tǐyù　　n.

sports, physical education

❶ 她从小就喜欢体育运动。
Tā cóngxiǎo jiù xǐhuan tǐyù yùndòng.

❷ 我经常看体育比赛。
Wǒ jīngcháng kàn tǐyù bǐsài.

突然　　tūrán　　adv.

❶ 刚才还是晴天，现在突然下　　suddenly

雨了。

Gāngcái háishi qíngtiān, xiànzài tūrán xiàyǔ le.

❷如果哪一天突然没有了电脑，我们的生活会怎样？

Rúguǒ nǎ yì tiān tūrán méiyǒule diànnǎo, wǒmen de shēnghuó huì zěnyàng?

完成 wánchéng v.

❶终于完成任务了，我可以好好休息一下了。 **complete, accomplish**

Zhōngyú wánchéng rènwu le, wǒ kěyǐ hǎohǎo xiūxi yíxià le.

❷我今天一定能完成作业，相信我吧。

Wǒ jīntiān yídìng néng wánchéng zuòyè, xiāngxìn wǒ ba.

西 xī n.

❶我现在就在学校西门，但我没找 **west** 到你说的银行。

Wǒ xiànzài jiù zài xuéxiào xīmén, dàn wǒ méi zhǎodào nǐ shuō de yínháng.

❷太阳从西边出来了吗？他今天怎么这么早就到办公室了？

Tàiyáng cóng xībian chūlai le ma? Tā jīntiān zěnme zhème zǎo jiù dào bàngōngshì le?

要求 yāoqiú v.

❶每天睡觉前，女儿总会 **request, require** 要求妈妈讲一个故事。

Měi tiān shuìjiào qián, nǚ'ér zǒng huì yāoqiú māma jiǎng yí gè gùshi.

❷妈妈要求我放学后马上回家。
Māma yāoqiú wǒ fàngxué hòu mǎshàng huí jiā.

爷爷　　yéye　　n.

❶爷爷已经 90 了，但身体很好。 `grandfather`
Yéye yǐjīng jiǔshí le, dàn shēntǐ hěn hǎo.

❷爷爷，这是我送您的礼物，祝您春节快乐！
Yéye, zhè shì wǒ sòng nín de lǐwù, zhù nín Chūn Jié kuàilè !

高频

一共　　yígòng　　adv.

❶明天一共有 8 个人去 火车站。 `altogether, in all`
Míngtiān yígòng yǒu bā gè rén qù huǒchēzhàn.

❷我和王小姐一共见过三次面。
Wǒ hé Wáng xiǎojiě yígòng jiànguo sān cì miàn.

月亮　　yuèliang　　n.

❶八月十五的晚上，月亮圆圆的， 非常漂亮。 `moon`
Bā yuè shíwǔ de wǎnshang, yuèliang yuányuán de, fēicháng piàoliang.

❷俗话说十五的月亮十六圆。
Súhuà shuō shíwǔ de yuèliang shíliù yuán.

只　　zhǐ　　adv.

❶我一般只喝茶或者矿泉水。 `only, just`
Wǒ yìbān zhǐ hē chá huòzhě kuàngquánshuǐ.

❷哥哥只比弟弟高一厘米。
Gēge zhǐ bǐ dìdi gāo yì límǐ.

中间 zhōngjiān *n.*

❶ 孩子坐在爸爸妈妈中间。 middle

Háizi zuò zài bàba māma zhōngjiān.

❷ 他每天都会坐在中间那个椅子上看一会儿报纸。

Tā měi tiān dōu huì zuò zài zhōngjiān nà gè yǐzi shang kàn yíhuìr bàozhǐ.

总是 zǒngshì *adv.*

❶ 他总是处处为别人着想。 always

Tā zǒngshì chùchù wèi biéren zhuóxiǎng.

❷ 王老师总是站着讲课，从来不坐。

Wáng lǎoshī zǒngshì zhànzhe jiǎngkè, cónglái bú zuò.

阿姨 āyí *n.*

housemaid, aunt (mother's sister)

❶ 王阿姨把厨房打扫得很干净。

Wáng āyí bǎ chúfáng dǎsǎo de hěn gānjìng.

❷ 照片上的这个人是你阿姨？和你妈妈真像啊。

Zhàopiàn shang de zhè gè rén shì nǐ āyí? Hé nǐ māma zhēn xiàng a.

矮 ǎi *adj.*

❶ 弟弟比我矮。 short (in length)

Dìdi bǐ wǒ ǎi.

❷ 我是全班最矮的。

Wǒ shì quán bān zuì ǎi de.

班 bān *n. & m.w.*

class; (measure word for groups)

❶ 别的班的成绩也有很大提高。
Biéde bān de chéngjì yě yǒu hěn dà tígāo.

❷ 我是三年一班的学生。
Wǒ shì sān nián yībān de xuésheng.

被 bèi *prep.*

by (used to indicate passive voice sentences or clauses)

❶ 哥哥的衣服被风刮跑了。
Gēge de yīfu bèi fēng guāpǎo le.

❷ 自行车被我同学骑走了。
Zìxíngchē bèi wǒ tóngxué qízǒu le.

必须 bìxū *adv.*

❶ 明天必须交作业。 have to, must
Míngtiān bìxū jiāo zuòyè.

❷ 这个会你必须亲自主持。
Zhè gè huì nǐ bìxū qīnzì zhǔchí.

城市 chéngshì *n.*

❶ 这个城市变得越来越漂亮了。 city, town
Zhè gè chéngshì biàn de yuèláiyuè piāoliang le.

❷ 我只去过南方的几个城市，没去过北方。
Wǒ zhǐ qùguo nánfāng de jǐ gè chéngshì, méi qùguo běifāng.

春 chūn *n.*

❶ 这个城市的春天非常美。 spring

Zhè gè chéngshì de chūntiān fēicháng měi.

❷农民们春种秋收。

Nóngmínmen chūnzhǒng-qiūshōu.

耳朵　ěrduo　n.

❶动物的耳朵特别灵敏。 `ear`

Dòngwù de ěrduo tèbié língmǐn.

❷医生认为爷爷的耳朵没问题。

Yīshēng rènwéi yéye de ěrduo méi wèntí.

发烧　fāshāo　v.

❶我儿子发烧了，我得在家 `have a fever`
照顾他。

Wǒ érzi fāshāo le, wǒ děi zài jiā zhàogù tā.

❷我有点儿发烧，吃了药就睡觉了。

Wǒ yǒu diǎnr fāshāo, chīle yào jiù shuìjiào le.

关系　guānxi　n.

❶去年，因为工作关系，我 `relationship`
来到了上海。

Qùnián, yīnwèi gōngzuò guānxi, wǒ láidàole
Shànghǎi.

❷他们的事和我没关系。

Tāmen de shì hé wǒ méi guānxi.

国家　guójiā　n.

❶很多国家都参加了这次 `country, nation`
奥运会。

Hěn duō guójiā dōu cānjiāle zhè cì Àoyùnhuì.

❷我去过很多国家，在很多城市工作过。

Wǒ qùguo hěn duō guójiā, zài hěn duō
chéngshì gōngzuò guo.

黑板　hēibǎn　*n.*

❶ 他正在黑板上写字。　blackboard
Tā zhèngzài hēibǎn shang xiězì.

❷ 黑板上写着"欢迎新同学"。
Hēibǎn shang xiězhe "huānyíng xīn tóngxué".

经过　jīngguò　*v.*

❶ 我们是经过同事介绍认识的。　go through
Wǒmen shì jīngguò tóngshì jièshào rènshi de.

❷ 我每天早上跑步的时候都会经过那个电影院。
Wǒ měi tiān zǎoshang pǎobù de shíhou dōu huì jīngguò nà gè diànyǐngyuàn.

旧　jiù　*adj.*

❶ 这件衣服太旧了，再买件新的吧。　old, used
Zhè jiàn yīfu tài jiù le, zài mǎi jiàn xīn de ba.

❷ 屋子里堆满了旧家具。
Wūzi li duīmǎnle jiù jiājù.

刻　kè　*m.w.*

❶ 你的手表快了一刻钟。　a quarter
Nǐ de shóubiǎo kuàile yí kèzhōng.

❷ 儿子，都九点一刻了，快去睡觉吧。
Érzi, dōu jiǔ diǎn yí kè le, kuài qù shuìjiào ba.

老　lǎo　*adj.*

❶ 几年不见，他显得老多了。　old
Jǐ nián bú jiàn, tā xiǎnde lǎo duō le.

❷ 这手表对我很重要，是一个老朋友送给

我的。
Zhè shóubiǎo duì wǒ hěn zhòngyào, shì yí gè lǎopéngyou sònggěi wǒ de.

辆 liàng *m.w.*

❶ 这辆车现在 (measure word for vehicles)
能卖八万块钱吧。
Zhè liàng chē xiànzài néng mài bāwàn kuài qián ba.

❷ 这辆自行车，我骑了三年了。
Zhè liàng zìxíngchē, wǒ qíle sān nián le.

鸟 niǎo *n.*

❶ 儿子昨天买了两只小鸟，一只黑 bird
色的，一只绿色的。
Érzi zuótiān mǎile liǎng zhī xiǎoniǎo, yì zhī hēisè de, yì zhī lǜsè de.

❷ 他喜欢养鸟，他家有三只小鸟。
Tā xǐhuan yǎng niǎo, tā jiā yǒu sān zhī xiǎoniǎo.

盘子 pánzi *n.*

❶ 这个中国古代的瓷盘子很珍贵。 plate
Zhè gè Zhōngguó gǔdài de cípánzi hěn zhēnguì.

❷ 你再拿几个盘子和碗过来。
Nǐ zài ná jǐ gè pánzi hé wǎn guòlái.

树 shù *n.*

❶ 我们明天去种树。 tree
Wǒmen míngtiān qù zhòngshù.

❷我家院子里有一棵苹果树。
Wǒ jiā yuànzi li yǒu yì kē píngguǒshù.

同意　tóngyì　*v.*

❶我非常了解我妈妈，她 　`agree, approve`
是不会同意的。
Wǒ fēicháng liǎojiě wǒ māma, tā shì bú huì
tóngyì de.

❷我给他打了个电话，他同意我们的要求
了。
Wǒ gěi tā dǎle gè diànhuà, tā tóngyì wǒmen de
yāoqiú le.

高
频

终于　zhōngyú　*adv.*

❶你说的那本书我终于 　`finally, eventually`
买到了。
Nǐ shuō de nà běn shū wǒ zhōngyú mǎidào le.

❷经过一番努力，弟弟终于考上了大学，
我真为他高兴。
Jīngguò yì fān nǔlì, dìdi zhōngyú kǎoshàngle
dàxué, wǒ zhēn wèi tā gāoxìng.

饱　bǎo　*adj.*

❶我已经饱了，不想吃了。 　`full`
Wǒ yǐjīng bǎo le, bù xiǎng chī le.

❷晚上别吃得太饱。
Wǎnshang bié chī de tài bǎo.

菜单　càidān　*n.*

❶我们先看看菜单再点菜。 　`menu`
Wǒmen xiān kànkan càidān zài diǎncài.

❷服务员把菜单拿来了。
Fúwùyuán bǎ càidān nálái le.

东　　dōng　　*n.*

❶就在这条街的东边，有个银行。　east
Jiùzài zhè tiáo jiē de dōngbian, yǒu gè yínháng.

❷太阳从东方升起。
Tàiyáng cóng dōngfāng shēngqǐ.

关　　guān　　*v.*

❶邻居的门关着。　close, shut down
Línjū de mén guānzhe.

❷出门时记得把灯关了。
Chūmén shí jìde bǎ dēng guān le.

过去　　guòqù　　*n.*

❶现在的生活比过去幸福多了。　past
Xiànzài de shēnghuó bǐ guòqù xìngfú duō le.

❷我们不会忘记过去。
Wǒmen bú huì wàngjì guòqù.

极　　jí　　*adv.*

❶冬天，特别是下雪的时候，　extremely
西湖漂亮极了。
Dōngtiān, tèbié shì xiàxuě de shíhou, Xīhú piàoliang jí le.

❷接到妈妈的电话，他高兴极了。
Jiēdào māma de diànhuà, tā gāoxìng jí le.

练习　liànxí　*n. & v.*

❶草地上，几个小孩儿 exercise: practice
正在练习跳舞。
Cǎodì shang, jǐ gè xiǎoháir zhèngzài liànxí
tiàowǔ.

❷他们学校要举行羽毛球比赛，所以他
每天花很长时间练习。
Tāmen xuéxiào yào jǔxíng yǔmáoqiú bǐsài,
suǒyǐ tā měi tiān huā hěn cháng shíjiān liànxí.

难过　nánguò　*adj.*

❶别难过了，这次考不好， sad, upset
下次努力就是了。
Bié nánguò le, zhè cì kǎo bù hǎo, xià cì nǔlì
jiù shì le.

❷好朋友的离开让我非常难过。
Hǎopéngyou de líkāi ràng wǒ fēicháng
nánguò.

然后　ránhòu　*conj.*

❶明天早上我先去找你， then, after that
然后我们一起去学校。
Míngtiān zǎoshang wǒ xiān qù zhǎo nǐ,
ránhòu wǒmen yìqǐ qù xuéxiào.

❷他首先向大家问好，然后开始了演讲。
Tā shǒuxiān xiàng dàjiā wènhǎo, ránhòu
kāishǐle yǎnjiǎng.

上网　shàngwǎng　*v.*

❶现在上网买东西已经 surf on the Internet
是很平常的事了。
Xiànzài shàngwǎng mǎi dōngxi yǐjǐng shì hěn

píngcháng de shì le.

❷现在，手机也可以用来上网了。
Xiànzài, shǒujī yě kěyǐ yònglái shàngwǎng le.

提高　　tígāo　　*v.*

❶经过努力，我的学习成绩 raise, improve
有很大提高。
Jīngguò nǔlì, wǒ de xuéxí chéngjì yǒu hěn dà
tígāo.

❷玛丽的汉语水平提高得很快。
Mǎlì de Hànyǔ shuǐpíng tígāo de hěn kuài.

洗手间　　xǐshǒujiān　　*n.*

❶洗手间在走廊的尽头。 toilet
Xǐshǒujiān zài zǒuláng de jìntóu.

❷你好，请问洗手间在哪儿？
Nǐ hǎo, qǐngwèn xǐshǒujiān zài nǎr?

有名　　yǒumíng　　*adj.*

❶她在我们公司很有名。 famous, well-known
Tā zài wǒmen gōngsī hěn yǒumíng.

❷杭州的茶叶非常有名。
Hángzhōu de cháyè fēicháng yǒumíng.

饭店　　fàndiàn　　*n.*

❶她和朋友在饭店吃晚饭。 restaurant
Tā hé péngyou zài fàndiàn chī wǎnfàn.

❷我在饭店里碰到以前的同事了。
Wǒ zài fàndiàn li pèngdào yǐqián de tóngshì le.

爱好　àihào　*n.*

❶你的爱好是什么？　hobby
Nǐ de àihào shì shénme?

❷她和她丈夫有很多相同的爱好。
Tā hé tā zhàngfu yǒu hěn duō xiāngtóng de àihào.

帮忙　bāngmáng　*v.*

❶要不要我帮忙啊？　help
Yào bu yào wǒ bāngmáng a?

❷你搬家时我会来帮忙。
Nǐ bānjiā shí wǒ huì lái bāngmáng.

电子邮件　diànzǐ yóujiàn　*n.*

❶她每天早上都先查看电子邮件，email
然后才开始做别的工作。
Tā měi tiān zǎoshang dōu xiān chákàn diànzǐ yóujiàn, ránhòu cái kāishǐ zuò biéde gōngzuò.

❷你给我写的电子邮件我看了。
Nǐ gěi wǒ xiě de diànzǐ yóujiàn wǒ kàn le.

公斤　gōngjīn　*m.w.*

❶三个月后，我又胖了两　kilogram (kg)
公斤。
Sān gè yuè hòu, wǒ yòu pàngle liǎng gōngjīn.

❷这袋米有 50 公斤。
Zhè dài mǐ yǒu wǔshí gōngjīn.

教　jiāo　*v.*

❶小刘是一位小学老师，教四年级　teach

的英语。

Xiǎo Liú shì yí wèi xiǎoxué lǎoshī, jiāo sì niánjí de Yīngyǔ.

❷ 做菜其实很简单，如果你有兴趣，我可以教你。

Zuòcài qíshí hěn jiǎndān, rúguǒ nǐ yǒu xìngqù, wǒ kěyǐ jiāo nǐ.

| 忘记 | wàngjì | v. |

❶ 到了火车站，他才发现自己忘记 `forget` 带火车票了。

Dàole huǒchēzhàn, tā cái fāxiàn zìjǐ wàngjì dài huǒchēpiào le.

❷ 坏了，我忘记拿手机了。

Huài le, wǒ wàngjì ná shǒujī le.

| 行李箱 | xínglixiāng | n. |

❶ 你的眼镜不在行李箱里。 `suitcase`

Nǐ de yǎnjìng bú zài xínglixiāng li.

❷ 那边还有一个行李箱，你帮我拿过来。

Nàbian háiyǒu yí gè xínglixiāng, nǐ bāng wǒ ná guòlái.

| 一边 | yìbiān | adv. |

❶ 我们可以一边喝啤酒一边看 `while, as` 比赛。

Wǒmen kěyǐ yìbiān hē píjiǔ yìbiān kàn bǐsài.

❷ 他每天早上一边喝茶一边看报纸。

Tā měi tiān zǎoshang yìbiān hēchá yì biān kàn bàozhǐ.

高频

照相机　　zhàoxiàngjī　　*n.*

❶ 如果你考了第一名，我就送你
一个照相机。　　`camera`

Rúguǒ nǐ kǎole dì-yī míng, wǒ jiù sòng nǐ yí
gè zhàoxiàngjī.

❷ 我的包忘在出租车上了，手机和照相机
都在里面。

Wǒ de bāo wàng zài chūzūchē shang le,
shǒujī hé zhàoxiàngjī dōu zài lǐmiàn.

因为……所以……　　yīnwèi…suǒyǐ…

❶ 因为下雨，所以
我们都没去公园。　　`because ... therefore ...`

Yīnwèi xiàyǔ, suǒyǐ wǒmen dōu méi qù
gōngyuán.

❷ 因为太远，所以女儿住我朋友家。

Yīnwèi tài yuǎn, suǒyǐ nǚ'ér zhù wǒ péngyou
jiā.

段　　duàn　　*m.w.*

(measure word for stories, periods of time, lengths
of thread, etc.)

❶ 请大家用黑板上的这几个词语写一段
话。

Qǐng dàjiā yòng hēibǎn shang de zhè jǐ gè
cíyǔ xiě yí duàn huà.

❷ 你看看这段话写得怎么样？

Nǐ kànkan zhè duàn huà xiě de zěnmeyàng?

角　jiǎo　*m.w.*

jiao (unit of money, equal to 0.1 yuan)

❶ 一元是 10 角，一角是 10 分。
Yì yuán shì shíjiǎo, yì jiǎo shì shífēn.

❷ 您好，这些葡萄一共十五元八角。
Nín hǎo, zhèxiē pútao yígòng shíwǔ yuán bājiǎo.

节日　jiérì　*n.*

❶ 春节是中国人最重要的　festival, holiday
节日。
Chūn Jié shì Zhōngguórén zuì zhòngyào de
jiérì.

❷ 祝大家节日快乐！　Zhù dàjiā jiérì kuàilè !

难　nán　*adj.*

❶ 这个题太难了，我不会做。　difficult
Zhè gè tí tài nán le, wǒ bú huì zuò.

❷ 上山的路很难走。
Shàng shān de lù hěn nán zǒu.

热情　rèqíng　*adj.*

❶ 他很热情，喜欢帮　cordial, enthusiastic
助别人。
Tā hěn rèqíng, xǐhuan bāngzhù biéren.

❷ 中国人对客人很热情。
Zhōngguórén duì kèrén hěn rèqíng.

认为　rènwéi　*v.*

❶ 医生认为爸爸的耳朵有　believe, think
点儿问题。
Yīshēng rènwéi bàba de ěrduo yǒu diǎnr

wèntí.

❷ 我认为你做菜的水平越来越高了。

Wǒ rènwéi nǐ zuòcài de shuǐpíng yuèláiyuè gāo le.

北方　　běifāng　　*n.*

north, northern part (of a country)

❶ 北方的天气比较干燥，南方就湿润多了。

Běifāng de tiānqì bǐjiào gānzào, nánfāng jiù shīrùn duō le.

❷ 我爸爸妈妈都是北方人，但我是在南方长大的。

Wǒ bàba māma dōu shì běifāngrén, dàn wǒ shì zài nánfāng zhǎngdà de.

高频

季节　　jìjié　　*n.*

❶ 季节转换的时候很容易感冒。 season

Jìjié zhuǎnhuàn de shíhou hěn róngyì gǎnmào.

❷ 北京这个季节风沙很大。

Běijīng zhè gè jìjié fēngshā hěn dà.

洗澡　　xǐzǎo　　*v.*

❶ 你敢不敢用凉水洗澡？ have a bath

Nǐ gǎn bu gǎn yòng liángshuǐ xǐzǎo?

❷ 儿子，都九点一刻了，快去洗澡，准备睡觉吧。

Érzi, dōu jiǔ diǎn yí kè le, kuài qù xǐzǎo, zhǔnbèi shuìjiào ba.

还 huán *v.*

① 我明天要去还书，明天是最后 return
一天，必须还。
Wǒ míngtiān yào qù huán shū, míngtiān shì
zuìhòu yì tiān, bìxū huán.

② 我把钥匙还给他了。
Wǒ bǎ yàoshi huángěi tā le.

街道 jiēdào *n.*

① 我们那儿的街道很干净。 street
Wǒmen nàr de jiēdào hěn gānjìng.

② 这个地方我以前来过，那时街道两旁都
是树。
Zhè gè dìfang wǒ yǐqián láiguo, nà shí jiēdào
liǎng páng dōu shì shù.

口 kǒu *n. & m.w.*

① 天气太冷了，喝口酒暖和暖和吧。 mouth
Tiānqì tài lěng le, hē kǒu jiǔ nuǎnhuo
nuǎnhuo ba.

② 他口渴了，想喝水。
Tā kǒukě le, xiǎng hē shuǐ.

万 wàn *num.*

① 这辆车现在能卖八万块钱 ten thousand
吧，我两年前买的时候花了二十多万。
Zhè liàng chē xiànzài néng mài bāwàn kuài
qián ba, wǒ liǎng nián qián mǎi de shíhou
huāle èrshí duō wàn.

② 这次出去旅游，一共去了八个城市，花
了一万多块钱。
Zhè cì chūqu lǚyóu, yígòng qùle bā gè

chéngshì, huāle yíwàn duō kuài qián.

为了   wèile   *prep.*

❶ 为了减肥，她每天晚上   for, in order to
只吃一个香蕉，喝一杯牛奶。
Wèile jiǎnféi, tā měi tiān wǎnshang zhǐ chī yí
gè xiāngjiāo, hē yì bēi niúnǎi.

❷ 为了这次比赛妹妹准备了一个多月，希望
她能拿到好成绩。
Wèile zhè cì bǐsài mèimei zhǔnbèile yí gè duō
yuè, xīwàng tā néng nádào hǎo chéngjì.

刮风   guāfēng   *v.*

❶ 北方的春天经常刮风。   (of wind) blow
Běifāng de chūntiān jīngcháng guāfēng.

❷ 虽然是晴天，但外面刮风了，很冷。
Suīrán shì qíngtiān, dàn wàimiàn guāfēng le,
hěn lěng.

筷子   kuàizi   *n.*

❶ 请再给我一双筷子。   chopsticks
Qǐng zài gěi wǒ yì shuāng kuàizi.

❷ 厨房里的碗和筷子等着你洗呢。
Chúfáng li de wǎn hé kuàizi děngzhe nǐ xǐ ne.

只   zhī   *m.w.*

❶ 儿子昨天买   (measure word for animals)
了两只小鸡，都是黄色的。
Érzi zuótiān mǎile liǎng zhī xiǎojī, dōu shì
huángsè de.

❷ 我家有一只可爱的小狗。
Wǒ jiā yǒu yì zhī kě'ài de xiǎogǒu.

主要　　zhǔyào　　*adj.*

❶我主要谈两个方面的问题。　main, major
　Wǒ zhǔyào tán liǎng gè fāngmiàn de wèntí.

❷这本书主要介绍东西方文化的差异。
　Zhè běn shū zhǔyào jièshào Dōng-Xīfāng
　wénhuà de chāyì.

句子　　jùzi　　*n.*

❶请把这个句子翻译一下。　sentence
　Qǐng bǎ zhè gè jùzi fānyì yíxià.

❷我能听懂一些简单的汉语句子。
　Wǒ néng tīngdǒng yìxiē jiǎndān de Hànyǔ
　jùzi.

对　　duì　　*adj.*

❶这个题我答对了。　correct
　Zhè gè tí wǒ dáduì le.

❷我说的不一定对。
　Wǒ shuō de bù yídìng duì.

词典　　cídiǎn　　*n.*

❶这个电子词典用起来很方便。　dictionary
　Zhè gè diànzǐ cídiǎn yòng qǐlái hěn fāngbiàn.

❷对不起，词典不借出的，只能在图书馆用。
　Duìbuqǐ, cídiǎn bú jièchū de, zhǐ néng zài
　túshūguǎn yòng.

只有……才……　　zhǐyǒu… cái…

❶只有努力才会取得好　only (then), only if
　成绩。
　Zhǐyǒu nǔlì cái huì qǔdé hǎo chéngjì.

❷年轻人就应该敢想敢做，只有这样才
可能成功。

Niánqīngrén jiù yīnggāi gǎn xiǎng-gǎn zuò,
zhǐyǒu zhèyàng cái kěnéng chénggōng.

最后　　zuìhòu　　*n.*

❶最后，请校长讲话。 the last
Zuìhòu, qǐng xiàozhǎng jiǎnghuà.

❷小王站在队伍的最后。
Xiǎo Wáng zhàn zài duìwu de zuìhòu.

多么　　duōme　　*adv.*

what (a great idea, etc.), how (wonderful, etc.)

❶多么好的机会啊，你一定要去试试。
Duōme hǎo de jīhuì a, nǐ yídìng yào qù
shìshi.

❷中国的朋友多么热情！
Zhōngguó de péngyou duōme rèqíng a!

感兴趣　　gǎn xìngqù　　*v.*

❶他从小就对数学非常感 be interested in
兴趣，所以他决定报数学系。
Tā cóngxiǎo jiù duì shùxué fēicháng gǎn
xìngqù, suǒyǐ tā juédìng bào Shùxué Xì.

❷我对音乐很感兴趣。
Wǒ duì yīnyuè hěn gǎn xìngqù.

根据　　gēnjù　　*n. & prep.*

❶我这么说有充分的根据。 basis; according to
Wǒ zhème shuō yǒu chōngfèn de gēnjù.

❷请根据老师的要求完成作业。
Qǐng gēnjù lǎoshī de yāoqiú wánchéng

zuòyè.

起来　　qǐlái　　*v.*

(used after a verb to indicate the beginning or continuation of an action or an upward movement)

❶你怎么突然想起来买房子了？
　Nǐ zěnme tūrán xiǎng qǐlái mǎi fángzi le?

❷请你站起来。
　Qǐng nǐ zhàn qǐlai.

试　　shì　　*v.*

❶请您试试这件衣服。　　try
　Qǐng nín shìshi zhè jiàn yīfu.

❷这是我做的蛋糕，你试一下。
　Zhè shì wǒ zuò de dàngāo, nǐ shì yí xià.

往　　wǎng　　*prep.*

❶ 去图书馆请往 toward, in the direction of
这边走。
Qù túshūguǎn qǐng wǎng zhèbiān zǒu.

❷ 她往我的咖啡里放了些糖。
Tā wǎng wǒ de kāfēi li fàngle xiē táng.

笔记本　　bǐjìběn　　*n.*

❶ 他打开书包，拿出了一个 notebook
笔记本。
Tā dǎkāi shūbāo, náchūle yí gè bǐjìběn.

❷ 你买的笔记本真漂亮。
Nǐ mǎi de bǐjìběn zhēn piàoliang.

不但⋯⋯而且⋯⋯　　búdàn… érqiě…

❶ 我妈妈不但长得 not only ... but also ...
漂亮，而且温柔大方。
Wǒ māma búdàn zhǎng de piàoliang, érqiě
wēnróu dàfang.

❷ 西瓜是夏天最常见的水果，这个季节的
西瓜不但便宜，而且很甜。
Xīguā shì xiàtiān zuì chángjiàn de shuǐguǒ,
zhè gè jìjié de xīguā búdàn piányi, érqiě hěn
tián.

中
频

发 fā *v.*

❶ 我给你发了电子邮件，你看一下。 send, give
Wǒ gěi nǐ fāle diànzǐ yóujiàn, nǐ kàn yíxià.

❷ 老师给我们发了新书。
Lǎoshī gěi wǒmen fāle xīn shū.

个子 gèzi *n.*

❶ 他个子小小的，不高。 stature, height
Tā gèzi xiǎoxiǎo de, bù gāo.

❷ 多吃点饭，才能长个子。
Duō chī diǎn fàn, cái néng zhǎng gèzi.

后来 hòulái *n.*

❶ 后来你们去哪里了？ later, then
Hòulái nǐmen qù nǎli le?

❷ 后来我们一起去吃饭了。
Hòulái wǒmen yìqǐ qù chīfàn le.

黄河 Huáng Hé *n.*

❶ 黄河是世界第五大长河。 Yellow River
Huáng Hé shì shìjiè dì-wǔ dà chánghé.

❷ 黄河是中国第二大长河。
Huáng Hé shì Zhōngguó dì-èr dà chánghé.

聊天 liáotiān *v.*

❶ 他很喜欢和我聊天。 chat
Tā hěn xǐhuan hé wǒ liáotiān.

❷ 我和妈妈每天晚上都会聊天。
Wǒ hé māma měi tiān wǎnshang dōu huì liáotiān.

中
频

留学　　liúxué　　v.

❶他来中国留学。　　study abroad
　Tā lái Zhōngguó liúxué.

❷小王明年要去美国留学。
　Xiǎo Wáng míngnián yào qù Měiguó liúxué.

皮鞋　　píxié　　n.

❶他新买了一双皮鞋。　　leather shoes
　Tā xīn mǎile yì shuāng píxié.

❷这里的皮鞋太贵了。
　Zhèli de píxié tài guì le.

瓶子　　píngzi　　n.

❶他喝完了瓶子里的水。　　bottle
　Tā hēwánle píngzi li de shuǐ.

❷他往瓶子里倒水。
　Tā wǎng píngzi li dào shuǐ.

中
频

起飞　　qǐfēi　　v.

❶飞机马上就要起飞了。　　(of aircraft) take off
　Fēijī mǎshàng jiù yào qǐfēi le.

❷飞船已经起飞了。
　Fēichuán yǐjǐng qǐfēi le.

请假　　qǐngjià　　v.

❶他生病了，所以要请假。　　ask for leave
　Tā shēngbìng le, suǒyǐ yào qǐngjià.

❷这星期五我可以请假吗?
　Zhè xīngqīwǔ wǒ kěyǐ qǐngjià ma?

信用卡　xìnyòngkǎ　*n.*

❶ 对不起，信用卡我放在家里了。　credit card

Duìbuqǐ, xìnyòngkǎ wǒ fàng zài jiā li le.

❷ 信用卡购物很方便。

Xìnyòngkǎ gòuwù hěn fāngbiàn.

饮料　yǐnliào　*n.*

❶ 你要喝什么饮料？　drink, beverage

Nǐ yào hē shénme yǐnliào?

❷ 他很喜欢喝饮料。

Tā hěn xǐhuan hē yǐnliào.

中文　Zhōngwén　*n.*

❶ 他中文说得很流利。　Chinese language

Tā Zhōngwén shuō de hěn liúlì.

❷ 她学了三年中文。

Tā xuéle sān nián Zhōngwén.

嘴　zuǐ　*n.*

❶ 医生让他张开嘴。　mouth

Yīshēng ràng tā zhāngkāi zuǐ.

❷ 他嘴里有东西。

Tā zuǐ li yǒu dōngxi.

策　　划：HSK 全球策划大队
责任编辑：杨　晗
英文编辑：甄心悦

图书在版编目（CIP）数据

HSK 分频词汇·1～3级：汉英对照 / 杨莹主编. —北京：华语教学出版社，2016
ISBN 978-7-5138-1008-1

Ⅰ. ①H… Ⅱ. ①杨… Ⅲ. ①汉语－词汇－对外汉语教学－水平考试－自学参考资料 Ⅳ. ①H195.4

中国版本图书馆 CIP 数据核字 (2015) 第 223661 号

HSK 分频词汇·1～3级

杨莹　主编

*

©华语教学出版社有限责任公司
华语教学出版社有限责任公司出版
（中国北京百万庄大街 24 号　邮政编码 100037）
电话：(86)10-68320585　68997826
传真：(86)10-68997826　68326333
网址：www.sinolingua.com.cn
电子信箱：hyjx@sinolingua.com.cn
新浪微博地址：http://weibo.com/sinolinguavip
北京京华虎彩印刷有限公司印刷
2016 年（32 开）第 1 版
2016 年第 1 版第 2 次印刷
（汉英）
ISBN 978-7-5138-1008-1
定价：39.00 元